D1214029

TROIS FOIS
LA FIN DU MONDE

De la même auteure

La cote 400, Les Allusifs, 2010 (10/18, 2013)
Le journal d'un recommencement, Notabilia, 2013
La condition pavillonnaire, Notabilia, 2014 (J'ai Lu, 2015)
Quand le diable sortit de la salle de bain, Notabilia, 2015 (J'ai Lu, 2017)
Rouvrir le roman, Notabilia, 2017

Sur l'auteure

Sophie Divry est née en 1979 à Montpellier et vit actuellement à Lyon. Son premier roman, *La cote 400*, (Les Allusifs, 2010; 10/18, 2013) a été traduit en cinq langues. Chez Notabilia, elle publie en 2014 *La condition pavillonnaire*, qui reçoit la mention spéciale du Prix Wepler, suivi de *Quand le Diable sortit de la salle de bain* (2015; J'ai Lu, 2017) et d'un essai: *Rouvrir le roman* (2017; J'ai Lu 2018). *Trois fois la fin du monde* est son cinquième roman. Sophie Divry est également chroniqueuse dans l'émission «Des papous dans la tête» sur France Culture.

Sophie Divry

TROIS FOIS LA FIN DU MONDE

Roman

NOTABILIA

ISBN : 978-2-88250-528-6

Je remercie particulièrement Julia Beaudoin et Mathieu Buffin, éleveurs de brebis à Brussieu (Rhône).

Pendant l'écriture de ce livre, l'auteur a bénéficié d'une résidence à la maison d'écrivains De Pure Fiction (Lot).

Il faut venir en prison pour comprendre Robinson Crusoé.

Jean ZAY, *Souvenirs et Solitude*

I

Le prisonnier

Ils ont tué mon frère. Ils l'ont tué devant la bijouterie parce qu'il portait une arme et qu'il leur tirait dessus. Ils n'ont pas fait les sommations réglementaires, j'ai répété ça pendant toute la garde à vue. Vous n'avez pas fait les trois sommations, salopards, crevards, assassins. Les flics ne me touchent pas, à quoi bon, ils savent que je vais en prendre pour vingt ans pour complicité. Moi j'attendais dans la voiture volée. Quand j'ai vu la bleusaille, il était trop tard pour démarrer, ils se sont jetés sur moi, m'ont plaqué à terre. C'est de là que j'ai vu la scène, rien de pire ne pouvait m'arriver : Tonio tué sous mes yeux. Mais pourquoi ce con a-t-il fait feu ?

Il était mon dernier lien, ma dernière famille. Notre mère est morte quand on avait vingt ans, on n'a jamais eu de père. Tonio assassiné, je suis désormais seul sur la terre, je n'ai plus d'amis, tous se sont détournés de moi, ni d'amantes, j'étais à ce moment-là célibataire, je n'ai plus qu'un immense chagrin qui me déchire, me révolte. J'en veux à mort aux flics, je m'en veux à moi aussi. J'aurais dû empêcher Tonio de faire cette connerie. J'étais sûr que ce braquage était une mauvaise idée, qu'il allait à sa perte. Mais comment est-il fait celui qui laisserait perdre son frère sans prendre le risque de se perdre avec lui ? En ces temps-là, il y avait des frères, on se rendait des services et il y avait des hommes pour vous punir. Voilà pourquoi je me retrouve un soir devant la porte de la prison de F.

C'est le mois de juin, il fait chaud à l'intérieur du fourgon de police. Les précédentes nuits ont été si affreuses que je me suis assoupi durant le trajet. L'arrêt du moteur me réveille. La première chose que j'aperçois quand les flics m'extraient de la voiture, c'est une porte noire encastrée dans un mur d'enceinte de vingt mètres de haut, un mur tout en béton. Un des deux flics m'enlève les entraves que j'ai aux pieds. L'autre appuie sur l'hygiaphone. Une caméra de surveillance cligne au-dessus de nous.

Le métal de la porte renvoie la chaleur de cette fin de journée. Mes yeux sont douloureux, j'ai trop pleuré les nuits précédentes. Derrière nous, il y a des champs jaunes et secs, je remarque qu'ils viennent d'être moissonnés. Encore un centre de détention établi loin des villes, posé au milieu de champs plats et mornes, sans reliefs saillants où poser le regard.

À quelques centaines de mètres, je vois une rangée de pavillons minables, sans doute construits là pour loger des gardiens, à l'écart eux aussi de toute société. Le soleil se couche entre ces maisons. Mais je ne peux pas contempler plus longtemps. La porte noire s'est ouverte, une main grise en sort, attrape la chaînette reliée à mes menottes et me tire de l'autre côté du seuil.

On avance vers une seconde enceinte à peine moins haute que la première et surmontée de barbelés. Je marche sans rien dire. Au-dessus de nous, un filet de sécurité découpe le ciel en petits carrés. Le portier me fait franchir ce second mur par un portail grillagé. Au passage, je croise son regard, affreusement vide.

À présent c'est une cour triangulaire, bitumée, qui semble servir de cour de livraison. Devant nous un bâtiment délabré de quatre étages dont les fenêtres sont dépourvues de barreaux. C'est sans doute le bâtiment administratif du complexe pénitentiaire. Le type ouvre une porte qui grince de manière sinistre et caricaturale. Après plusieurs couloirs très vivement éclairés, on me fait asseoir dans une salle d'attente. On m'enlève enfin les menottes.

Je me masse les poignets. Je m'étire. Je suis jeune, j'ai faim, j'ai sommeil. Je voudrais dormir, ne penser à rien – ne pas avoir peur, ne plus avoir mal dans le ventre, là où s'est logée la douleur depuis que j'ai vu le corps de Tonio sur le trottoir. Je fais quelques pas pour ne pas me laisser envahir par le chagrin. Au moins, je me dis, y'a plus de flics ici. Mais l'étroitesse de la pièce m'angoisse. Un haut-parleur interrompt mes pensées. Je dois me lever. Je dois venir par ici.

La pièce suivante est vaste et blanche. Je m'y sens tout de suite très mal à l'aise, car elle n'a aucune fenêtre. Derrière un comptoir sont postés trois petits hommes qui grattent du papier. Chacun a une casquette grise sur la tête. Sur une affichette est marqué en lettres capitales : GREFFE – VEUILLEZ OBTEMPÉRER. Au sol, une ligne rouge quasiment effacée par des milliers de piétinements.

« Mettez-vous derrière la ligne et déshabillez-vous », ordonne sans lever les yeux celui qui semble être le chef. Sa voix m'a fait sursauter. C'est une de ces voix sorties d'un amplificateur posé sur un larynx détruit par le tabac.

« Déshabillez-vous ! », répète la voix métallique comme je n'ai pas obéi à l'instant même. J'enlève un par un mes vêtements. « Le slip aussi », grésille la voix. Je le retire en serrant les dents. Finalement, c'est comme chez les flics, tous des pourritures.

Soudain je bondis de terreur. D'une trappe est sorti un chien noir, un énorme chien noir. Sans avoir rien prémédité, je me suis réfugié derrière le guichet.

« Sortez de là », ordonne le greffier sans montrer plus de surprise.

Le deuxième dit : « Retournez à votre place. »

Le troisième : « Laissez-nous travailler. »

Ces ordres, dits sans énervement, me sortent de mon épouvante. D'ailleurs le chien ne s'est pas rué sur moi mais sur mes vêtements.

C'est un chien-loup aux poils courts, athlétique, à la robe noire et soyeuse avec des taches marron qui luisent aussi. C'est un chien bien nourri. Je sens un moment de flottement. Le clébard a plongé sa truffe dans mes fringues et un rictus passe sur le visage des trois fonctionnaires comme une vieille plaisanterie qui reprendrait. Le premier des trois greffiers va vers le chien.

« Couché », dit-il.

Il prend un par un mes habits, les fouille attentivement avant de les tendre au chien. Celui-ci les renifle à son tour de sa truffe humide. Ce spectacle me dégoûte. J'ai posé ma main gauche sur le bord du comptoir, écœuré, cachant mon sexe de l'autre main, sentant la plante de mes pieds sur la dalle de béton. Les greffiers ne font plus attention à moi.

Tout à coup – un coup de sifflet – le clébard repart comme il est venu. Mes vêtements sont par terre, maculés de bave. Je demande à me rhabiller. Les greffiers se tournent vers moi. J'ai l'impression que j'ai commis une faute grave en prenant la parole.

« Taisez-vous donc ! »

« La procédure est en cours. »

« Mettez-vous derrière la ligne rouge. »

Le troisième greffier se lève. Il enfile des gants de chirurgien et s'approche de moi.

« Écartez les jambes et les bras. »

La honte me parcourt la peau comme une inflammation. Je m'exécute en fermant les yeux pendant les palpations. Dès qu'il me touche, pourtant, c'est comme si on me brûlait la chair. Je serre les dents, contenant la rage qui me submerge.

« Reculez. »

« Accroupissez-vous sur cette glace. Remontez vos parties génitales avec la main et restez une minute ainsi, qu'on regarde votre anus. »

J'ai le souffle coupé. Le chagrin, l'humiliation, la fatigue, tout se mêle alors. Je me tourne vers le comptoir : « Non, mais… Je… Je dois vraiment faire ça ? »

« Ce détenu est pénible », dit alors le greffier d'un ton administratif étrangement froid. Les deux autres oscillent de la tête. J'ai les mains qui tremblent.

Je dois faire ce qu'ils me demandent, je le fais. Tout le monde le fait ici. Les larmes jaillissent sans que je puisse les retenir.

Au bout d'un temps infini, le greffier dit que c'est bon, tout est en règle, que la fouille est terminée. Il ôte ses gants et les jette avec répugnance dans une corbeille. Je peux enfin cacher ma nudité. Mais je ne rhabille plus le même homme qu'une heure auparavant.

Les trois greffiers me posent ensuite des dizaines de questions sur mon passé médical, ma naissance, mes habitudes sportives, ma religion et jusqu'à mon régime alimentaire.

« Répondez plus fort ! »

« On ne comprend rien. »

« Articulez. »

« Levez la tête ! »

Une caméra me filme le visage à bout touchant. On enregistre ma démarche. On prélève mes empreintes digitales, ma salive, la trace biométrique de ma pupille. Je me laisse faire. J'ai honte, je veux juste en finir et dormir. La voix métallique brandit ensuite un bout de papier qui est ma *carte d'identité pénitentiaire*. Le chef la jette sur une couverture brune. On y met aussi du papier toilette, une assiette en fer-blanc et un savon. Il faut que j'en noue les bouts pour former un gros baluchon.

« On va vous mener au Quartier des arrivants, conclut le greffier, vous y resterez une semaine en observation. Votre affectation définitive viendra ensuite. »

Un gardien gigantesque est apparu comme par enchantement à ma droite. Vêtu d'un uniforme barré de bandes jaunes et chaussé de pataugas cloutés, il ressemble à un pompier. Il en a la carrure et le visage aimable. Ce géant me repasse les menottes.

Il a ouvert une porte blanche sur le mur blanc. Il me dit d'une voix calme :

« Je vous en prie, monsieur, après vous. »

Le gardien jaune est très poli. Il dit tantôt « À droite, monsieur », tantôt « À gauche, monsieur », pour me guider dans les couloirs qui s'étendent devant nous. Déjà la laideur du béton me fatigue, déjà l'horizon me manque. Les couloirs se succèdent, gris sale, éclairés au néon, sans autre ornement que des tuyauteries et des fils électriques suspendus comme un long remords au-dessus de ma tête. Dans ce qui me paraît une impasse, le géant sort une tige métallique de sa poche et la glisse dans un orifice du mur. Un panneau coulisse et apparaît une porte avec l'inscription énorme BÂTIMENT B2 – QUARTIER DES ARRIVANTS. Je n'avais jamais franchi tant de portes qu'en cette journée, et j'aurais franchi celle-là sans réfléchir si l'odeur ne m'avait pas cloué sur place.

Une odeur de fruits pourris, d'eaux usées et de viande avariée me frappe en plein visage. Le gardien m'ordonne de passer, mais c'est comme si mon nez bloquait mes pieds. Je suffoque, cherchant inutilement un air préservé, quelque part, en l'air, tournant la tête comme un poisson affolé. Le garde répète son ordre d'une voix plus ferme. Je passe alors dans ce couloir. Ça me donne l'impression de marcher sur des centaines de sacs poubelles. Je regarde les murs de béton sans comprendre. Où est la décharge ? Où sont les égouts qui refoulent ? Il n'y a qu'un nouveau labyrinthe de couloirs, s'élargissant et se rétrécissant, que notre marche à travers cette puanteur, rythmée par la succession de portes uniformément grises et marquées de sigles administratifs incompréhensibles. Enfin mes pieds rencontrent un escalier. Après plusieurs grilles, le gardien me fait entrer dans un bâtiment vaste comme un gymnase.

Il suffit d'un coup d'œil pour saisir l'architecture du B2. Des dizaines de cellules contiguës, aux portes percées d'un œilleton central, sont alignées le long de coursives ouvertes. Il y a trois étages, donc trois coursives qui font le tour du bâtiment rectangulaire pour desservir les cellules, avec de l'autre côté une balustrade. Ça me rappelle la disposition des vestiaires dans la piscine où j'allais me baigner enfant. De chaque petit côté du rectangle, un escalier de fer permet de relier le rez-de-chaussée aux coursives. Il y a un monte-charge dans le mur de gauche. Plusieurs gardes jaunes, grands et forts, sont assis au rez-de-chaussée autour d'un ordinateur type années 1980. Il faut venir en prison pour voir ce genre d'antiquités informatiques.

Je pose mon baluchon au sol. Il est dix heures du soir. Mon gardien a rejoint ses collègues. Je les entends s'entretenir de leurs voix calmes, sans doute sur le choix de la cellule où me mettre. La puanteur me déprime, je me demande si je vais pouvoir dormir dans ces conditions. Une autre question m'agite : est-ce que je pourrai me doucher ? Je ne me suis pas lavé depuis trois jours. On m'a dit quelque chose au greffe à ce sujet, mais je ne m'en souviens plus.

Au bout de cinq longues minutes, un Jaune revient vers moi. Il m'enlève les menottes et me dit :

« Monsieur, vous serez au troisième étage, à la cellule deux mille trois cent… »

Il articule distinctement, mais je n'entends plus rien ; j'ai vu ses dents. Ce ne sont pas des dents humaines, blanches et cassables. Sur le devant de sa bouche, le gardien a deux incisives en métal, étincelantes et monstrueuses comme des ongles d'acier, et j'ai oublié de demander pour la douche.

En entrant dans la cellule ce soir-là, je ne vois rien que le lit superposé. Je monte sans réfléchir à la place que j'occupais dans notre chambre avec Tonio, celle du haut. Le temps que je m'en rende compte et la douleur, déchirante, fait monter à ma gorge des sanglots violents.

Heureusement la fatigue est plus forte et je finis par m'endormir.

Je me réveille une heure plus tard, à cause de l'odeur. De la sueur poisseuse me coule dans le dos, le plafond est tout proche, oppressant. Je dois me calmer. Mais j'ai faim et ça a toujours été difficile pour moi de dormir le ventre creux. J'ai envie de manger, de me doucher, et l'idée de dépendre de l'administration pénitentiaire pour ces besoins élémentaires me démoralise. L'horreur de la prison s'immisce en moi. Je n'arrive pas à me rendormir. Je regarde le petit écran de ma montre luire dans l'obscurité. De derrière la porte me parviennent une série de sons sourds et irréguliers, des pas lents, des ordres brefs et des échos métalliques. Parce que je ne parviens pas encore à donner un sens à ces bruits, mes nerfs s'emballent. La peur et le chagrin, une sensation terrible d'abandon et d'impuissance me plongent dans des abîmes de noirceur.

J'ai dû me rendormir car un cri horrible me réveille soudain. Ça semble venir de la cellule d'à côté. C'est un cri d'homme désespéré, une longue plainte aux tonalités atroces, ponctuée de sanglots pitoyables. Ce cri me broie le cœur de terreur, mais aussi de pitié. Il continue ainsi pendant cinq minutes qui me paraissent une éternité. J'entends un détenu gueuler d'une voix forte :

« Oh ! Le crabe ! Claque-lui la gueule ! »

Maintenant ce sont sûrement des gardes qui courent avec leurs pataugas sonores. D'autres bruits suivent, lourds, dans la coursive rallumée. Des éclats de voix. Le cri venait de plus loin que je ne pensais.

Il s'éteint enfin. Je me force à prendre de grandes respirations. Mais l'odeur est vraiment infecte.

Ce n'est qu'au petit matin que je parviens à me rendormir. Le bruit que font les verrous en se rouvrant à sept heures me déchire les tympans. Les Jaunes appuient d'office sur l'interrupteur, je mets la couverture sur mes yeux, je me retourne de l'autre côté.

…

Un Jaune frappe.

« Promenade ! »

Il entre et me voit dans mon lit.

« La promenade n'est pas obligatoire, monsieur. »

…

À onze heures, je me lève. Je découvre un lavabo dans la cellule, je fais une toilette de chat, lentement, sans me mettre nu. Pour ne pas cogiter, je m'oblige à faire quelques pompes.

…

À onze heures et demie un détenu m'apporte une gamelle avec de la purée et une saucisse, une compote de pomme, du pain.

« Saucisse de poulet, y'a du lait dans la purée, c'est bon pour toi ? »

Le gamelleur de service attend une réponse. Je le regarde avec des yeux écarquillés.

« Putain de primaires », dit-il.

La porte se referme.

Manger me fait du bien. Je décide de m'installer mieux. Je change de place dans le lit superposé, au moins je n'aurai plus la lumière du plafonnier à vingt centimètres du visage.

La cellule est minuscule mais propre. Il y a, en plus du châssis en fer, une table minuscule, deux chaises, deux petits placards, l'assise des toilettes avec un paravent, et le lavabo. Voilà les neuf mètres carrés déjà bien remplis. Je range dans le placard les quelques vêtements que j'ai pu prendre chez moi lors de la perquisition, mes chaussures de sport, deux livres. Ça me fait bizarre de voir ces objets familiers entre ces murs. J'ai l'impression qu'ils viennent de la Lune. Tandis que je range, les barreaux de la cellule découpent la lumière du soleil en rais jaunes, projetant ces mêmes barreaux, agrandis par l'ombre, sur la porte. Faut tenir bon. M'adapter. Ne plus penser à la vie d'avant. Ils ont eu Tonio, moi ils ne m'auront pas. Je ne dois pas pleurer.

La porte s'ouvre de nouveau. Je détourne le visage.

Le détenu qui entre est chargé d'un baluchon plus gros que le mien. Il doit avoir quarante ans, le teint mat. Il a les gestes sûrs de l'habitué. Ici on l'appelle RedBull, comme la boisson. Il me tend une main qu'il est bon de serrer. Avec un accent marseillais prononcé, il me pose les questions auxquelles je devrai si souvent répondre ici. Si je suis primaire (pour la première fois en prison), si j'ai un pécule (de l'argent pour cantiner), et le reste :

« Tu connais du monde dans la boîte ? »

« Personne. »

« T'es jugé ? »

« Non. »

« T'as quel âge ? »

« Vingt-deux ans. »

« J'aurais dit moins. »

Je devais vraiment faire pitié à voir.

« Et pour quoi t'es tombé ? »

Aucun prisonnier n'est obligé de dire pour quelle affaire il est incarcéré. Même pas aux gardiens. Mais je ne le savais pas à l'époque, et de toute manière j'étais trop content de parler à quelqu'un.

« Braquage. »

À ce mot, le visage de RedBull change du tout au tout. Il recule d'un pas, ouvre de grands yeux, m'observe par en dessous. Son front se plisse comme s'il rencontrait en ma personne une contradiction inédite. De fait, je n'avais pas les codes du grand banditisme.

« Braquage, dit-il d'une voix changée. J'aurais pas parié. Sauf ton respect. »

« Oh non, t'inquiète. C'était la première fois. J'ai juste donné un coup de main. C'est mon frère qui avait le plan… »

Je sens les larmes remonter.

« Mais ils l'ont tué… »

« Ah ça ! Alors c'est toi, le flag' sur l'aut' faubourg ? »

Très vite on va savoir dans la taule que je suis le frère de Tonio, le voyou descendu en flag', et ça aura des conséquences que je ne soupçonne pas encore.

RedBull prend le lit du haut. Son barda est beaucoup plus gros que le mien. Une fois qu'il a rempli l'autre placard et mis son nescafé et ses paperasses sur la table, la cellule est déjà en désordre. J'éprouve un sentiment désagréable de contrariété, à croire que je m'étais approprié cet espace, sans savoir qu'il n'y a plus d'intimité possible en prison. D'ailleurs, l'homme ouvre le paravent et dit : « Tu m'excuses, collègue. » Le temps que je pige, il s'est déculotté.

Je vais à la fenêtre. De là la puanteur générale est moins forte. Je me roule une cigarette. RedBull me rejoint après avoir tiré la chasse. Je lui retourne timidement quelques questions. Il m'apprend qu'il vient ici régulièrement, il a connu aussi d'autres taules dans le Sud. Il a des inculpations de vols de voiture, de recel, il ne me donne pas de détails. Il écrase sa clope et se met soudain à tambouriner contre la porte de la cellule. Le bruit m'effraie mais je ne dis rien. RedBull fait une tête de plus que moi et ses tatouages ne donnent pas envie de le contrarier. Le bruit résonne dans toute la coursive. Les gardiens montent voir ce qui se passe. Assez lâchement, je me suis réfugié de l'autre côté du lit.

«Un problème, messieurs?»

«Aucun, *messieurs*, répond mon codétenu en souriant, est-ce qu'on peut avoir de l'eau chaude?»

Dix minutes plus tard, les Jaunes nous servent de l'eau sortie d'un thermos.

«La prochaine fois, mettez plutôt un drapeau s'il vous plaît, nous ne sommes pas aveugles», dit le gardien en refermant.

Le Marseillais me donne un verre de nescafé. La remarque du Jaune l'a fait marrer. Je n'ai rien compris à ce qui vient de se passer.

«Au B2, ils sont aux petits soins, m'apprend-il. Faut en profiter, ma parole!»

«Dis-moi, pourquoi ça pue comme ça?»

«Ah ça? C'est la cuisine en bas, cette connerie, là! C'est une infection, ma parole!»

On dirait que c'est ma question qui lui a fait remarquer l'odeur.

«Bloque pas là-dessus, cousin, ça va pas t'aider. Tu verras, on s'habitue. Tu pourras même devenir auxi au service général, si t'es pas trop nigaud.»

Être auxiliaire, c'est aider aux travaux divers de la prison, m'explique-t-il. Ça a des avantages. Mais il faut que les gardiens vous aient à la bonne. Et je sens que règne ici un continent de règles et de termes qu'en tant que *primaire* j'ai intérêt à assimiler au plus vite. Je repense à Tonio, je me demande pourquoi mon frère ne m'a jamais dit un seul mot sur ses années de prison. Ça me serait utile aujourd'hui. Mais il est vrai que je n'étais pas censé m'y retrouver. C'était lui le voyou de la famille, pas moi.

La nuit met un temps interminable à tomber. Dans le bout du ciel qui reste visible à travers les barreaux, le crépuscule s'étale, me déchirant le cœur de la mélancolie du prisonnier. Complicité de braquage à main armée, ça va chercher entre dix ou quinze ans, selon RedBull. Les flics m'avaient dit vingt. Avec des remises de peine, on peut faire peut-être baisser. De toute façon, mon procès n'est pas pour demain. RedBull fume à la fenêtre. Je mange lentement, ce n'est pas trop mauvais comme bouffe, mais mon estomac est serré. J'ai déjà les obsessions du détenu, je pense à mon « affaire ».

Soudain retentit le même cri abominable que la nuit précédente. Il vient de plus bas, de la coursive inférieure peut-être.

« Qu'est-ce qui se passe ? »

RedBull n'a pas bronché. Genre, ça arrive tout le temps, faut pas s'affoler. Le mugissement continue, monte en puissance, ça me fait mal au ventre.

Comme j'insiste, il répond :

« Souvent il y a des suicides au B2. Les Jaunes doivent intervenir. Surtout chez les primaires. »

« Tu vas pas te suicider, toi ? », me demande-t-il soudain.

« Moi ? Non ! Ça va pas la tête ? »

Mon codétenu a l'air rassuré.

…

« Dis-moi un truc… »

J'ai un peu honte, mais je veux savoir.

« Le coup du miroir, au Greffe, ils le font souvent ? »

Le Marseillais me regarde avec un air attendri. Jamais un voyou n'aurait posé une telle question.

« Oui. Et pas qu'au Greffe. »

« Mais ils ont le droit de te fouiller… à ce point-là ? »

« T'es vraiment un primaire, toi ! Oui, pardi. C'est surtout pour les téléphones. Ils sont furieux contre les téléphones. »

« C'est juste pour ça ? »

« Quand tu fais du barouf. Quand tu reviens du palais. Et aussi quand ils veulent se marrer. »

« Mais si tu veux pas t'accroupir ? »

« T'es bien brave, mais faut le faire. T'as pas le choix. C'est ça la taule. »

« Imagine, quand même… Si tu t'accroupis pas ? »

La fumée de sa cigarette fait des volutes grises sur le mur gris.

« Alors je pense qu'ils t'amènent en cellule 33. »

« C'est quoi, la cellule 33 ? »

RedBull bâille. Il faut tout de même pioncer, les Jaunes n'auront pas de pitié demain. Je vais me coucher aussi. Je pense qu'il a oublié la question, mais, alors que nous sommes allongés dans le noir, invisible l'un à l'autre sur les lits superposés, je l'entends dire d'en haut :

« La 33, il vaut mieux pas savoir trop vite, petit. »

Le lendemain matin je peux enfin prendre une douche. Puis c'est l'heure de la promenade. Les Jaunes sortent les détenus des cellules, et au signal nous descendons tous le grand escalier des coursives. On est censés former des rangs, mais c'est le bordel. Parmi les détenus, il y a surtout des jeunes, quelques Roms, beaucoup d'Arabes et beaucoup de Noirs, c'est partout la même histoire. Quelques-uns ont de grands yeux effrayés, comme les miens sans doute. D'autres traînent les pieds et dodelinent de la tête, on dirait des zombies. Il y a aussi quelques faces de boxeurs qui se lancent entre eux des saluts bruyants.

Après une fouille rapide, on entre dans une cour triangulaire comme une part de camembert – qui serait formée à la croûte par le B2 et aux deux autres côtés par des murs de six mètres de haut surmontés de barbelés. À l'intersection, encore un mirador.

Je comprends alors d'où vient la puanteur qui règne sur tout le bâtiment. Dans la cour s'accumulent les déchets venant de la cuisine située au rez-de-chaussée : barquettes et boîtes de conserve vides, épluchures, huile usée… Tout se décompose à ciel ouvert, remplissant l'atmosphère d'une odeur abominable qui attire les rats, les mouches, et même des corbeaux qui viennent piocher dans cette poubelle géante. J'ai toujours détesté les corbeaux. La crasse appelant la crasse, puisqu'on les traite si mal, depuis les fenêtres les détenus alimentent eux-mêmes cet amas d'immondices en y jetant les restes de leurs repas. Je vois avec horreur des zombies venir fouiller le tas visqueux à la recherche de quelque chose à manger. Ça me révulse particulièrement – l'idée qu'on puisse faire les poubelles même en prison, je ne sais pas pourquoi, ça me casse le moral.

Je n'ai pas pris mes Nike parce que je sors juste de la douche et je ne veux pas me salir à nouveau. « Voilà bien un règlement débile, mettre la douche juste avant la promenade », je me dis en enviant les mecs qui courent. RedBull n'a pas voulu descendre et je n'ai personne à qui parler. Je me sens comme à la rentrée des classes, avec mille fois plus de pression. Je dois me faire des amis, sinon je ne tiendrai pas ici. J'exclus illico les zombies, il reste les autres. En tout, une centaine de détenus dans un espace grand comme une demi-pelouse de football. Ça jogge, ça pompe, ça marche en rond par paires. Sans doute pour les jours de pluie, il y a un préau. Des insultes fusent autour d'une barre de traction vissée là. Ce sont des insultes pour rire entre des mecs balèzes, mais je ne m'approche pas, je n'ai pas la carrure.

Les choses partent en sucette sous le préau. Un gigantesque Black se met à maraver méthodiquement un petit maigre. Personne n'a l'air choqué. Quand le balèze arrête, le maigrelet est en sang, la tête comme une patate. Une demi-douzaine de lascars viennent le finir à coups de pied, lui volent ses chaussures, puis le jettent dans le tas de déchets en se marrant. Deux corbeaux, dérangés, s'envolent vers le mirador. Là-haut, personne n'a émis aucun rappel à l'ordre. Je peux apercevoir le Jaune assis, impassible, sur sa chaise.

Un grand Arabe et un petit costaud se dirigent droit vers moi. J'ai un réflexe de peur, vite contenu. S'il faut faire mes preuves, c'est le moment.

« C'est toi, le frangin à Tonio ? », dit l'Arabe.

« Oui. »

« Suis-nous. Le boss y veut te causer. »

Il me semble que tous les détenus nous regardent, mine de rien, traverser la cour. Les deux lascars m'amènent au grand Black tabasseur.

« Voilà, c'est Gros-Ba, c'est le boss du B4 », me dit le petit costaud en me laissant devant cette masse de muscles.

La pensée de mon frère me donne le courage nécessaire. Je tends la main au détenu, je dis mon nom d'une voix ferme. L'autre me toise. Ce n'est pas difficile de comprendre d'où vient son surnom. Gros-Ba a des muscles énormes, on peut suivre leurs parcours comme sur une image d'encyclopédie aux pages d'anatomie, mais en noir. On ne dirait pas que ce gars vient d'en défoncer un autre. Il a un regard posé, intelligent, presque sensible. Ma main reste suspendue en l'air. Je ne cligne pas. Enfin, à mon soulagement, Gros-Ba la serre et me dit d'une voix si douce que j'en perds mes moyens :

« Alors ils ont buté Tonio ? »

« Devant mes yeux… Les flics ont pas fait les sommations, l'ont buté direct… J'ai la haine, si tu savais… »

Gros-Ba m'a déjà mis une main sur l'épaule.

« C'était un vrai voyou, ton reuf. Sois à la hauteur, pélo. »

« Tu l'as connu ici ? », je demande en me ressaisissant.

« Ouaip, on a été six mois dans la même cellule. Ça crée des liens… parfois. »

Il a insisté sur le *parfois* en me regardant droit dans les yeux. Il me teste on dirait.

« Dis-moi ce qui s'est passé ce soir-là. Je veux savoir. »

C'est un plaisir étrange que de pouvoir raconter à une oreille bienveillante la mort de mon frère, ça me fait un bien fou. Nous restons à parler en marchant côte à côte. Mais déjà un Jaune vient de siffler. La promenade se termine dans cinq minutes.

« Je te ferai porter quelque chose, dit Gros-Ba. Mais joue pas les balances ici. Sinon t'es mort. »

Je le regarde d'un air vexé. J'ai beau être primaire, j'ai quand même compris.

« Une balance ? Pour qui tu me prends, boss ? Chuis le frère de Tonio ! »

Le petit groupe de lascars qui tourne autour de nous a l'air d'apprécier. Ils rigolent. Gros-Ba a aimé que je l'appelle *boss*. J'ai eu de la chance de le croiser, la promenade des arrivants est exceptionnellement commune avec le B4, pour cause de travaux. C'est bien pratique, paraît-il, mais ça ne va pas durer.

« T'inquiète. Où que tu crèches, pélo, je te retrouverai. »

Et Gros-Ba porte le poing à son cœur.

Je suis de retour en cellule ; RedBull n'est pas content.

« Gros-Ba, c'est une sacrée masse de caïd dans la boîte. C'est pas bon, ça. Tu devrais pas tourner avec lui. »

« Comment tu sais qu'je lui ai causé ? »

« T'es un peu bête, toi… Tout se sait ici. »

Je tombe des nues.

« Tu te mets en danger, crois-moi. »

« Mais je lui parlais de mon frère, il connaît mon frère ! »

« Comme tu veux, mais prends garde. T'es encore en observation. »

Mon codétenu me réexplique ce que je n'avais pas compris au greffe : le Quartier des arrivants est une sorte de sas à partir duquel l'administration répartit les détenus dans leurs bâtiments définitifs. Les bien notés vont au B3, les détenus à problèmes, au B4.

«C'est quoi la différence?»

«Il vaut mieux être au B3, ma parole. Au B4, c'est pire qu'aux Baumettes.»

«Ça veut dire quoi, ça?»

«Ça veut dire que c'est dégueulasse… dégueulasse…»

La gamelle interrompt notre conversation. Le détenu de service, après avoir rempli nos assiettes, me tend un sac en plastique. «C'est pour toi», dit-il avec un clin d'œil. Son geste a été hyper-rapide. Dans le sac, je trouve trois paquets de vraies clopes, du café soluble, une bouteille de coca et des granolas. Comme explication, un papelard avec écrit: «De la part de Gros-Ba.»

Il est impossible de cacher quoi que ce soit à l'autre dans une cellule de neuf mètres carrés. RedBull est vite au courant du contenu de la lettre. Il secoue la tête et reprend:

«Tu vas avoir des emmerdements, fais-moi confiance.»

«Mais c'est un ami de mon frère, j'peux pas refuser.»

Depuis que Gros-Ba m'a tapé sur l'épaule, j'ai retrouvé un peu de courage, je ne vais pas fléchir maintenant. Je propose malgré tout une Marlboro à RedBull, qui accepte. Je m'allonge sur mon lit après le repas. J'essaie de réfléchir. C'est compliqué de prendre mes marques ici. La seule chose que je comprends, c'est que, pour tenir, il me faut d'une manière ou d'une autre une protection.

…

« Kamal ! »

Je me réveille en sursaut de la sieste qui m'avait emporté. La porte s'est ouverte, deux Jaunes immenses sont entrés, dont celui avec les incisives en métal. La cellule contient cinq personnes. Moi qui me frotte les yeux – RedBull silencieux sous la fenêtre – les deux Jaunes – et le petit maigre qui s'est fait tabasser le matin par Gros-Ba. Il a la gueule gonflée comme une patate noire.

« C'est lui ? », demande un Jaune à la patate.

« Oui… C'est lui qui m'a maravé ! Et il m'a chouré mes groles aussi ! »

Je viens de comprendre.

« Quoi ? J'ai rien fait, moi ! »

Dents-d'Acier me regarde :

« Si c'est pas vous, c'est qui alors qui l'a mis dans cet état ? »

Je reste scié. C'est trop énorme. RedBull me lance un regard affligé, mélange de j'y-suis-pour-rien et de je-te-l'avais-bien-dit.

« Je sais pas, moi. Je connais personne ici, je viens d'arriver. C'est vous qui surveillez la promenade, pas moi ! »

« Monsieur, intervient l'autre Jaune avec une politesse qui m'exaspère, vous feriez mieux de nous dire qui l'a battu, sinon on vous transfère au B4 dès ce soir. »

« … Et j'peux prendre ses Nike ? », ajoute la patate.

« Touche pas à mes pompes, toi ! »

Dents-d'Acier m'ordonne de sortir immédiatement. Je me retrouve en chaussettes dans la coursive, flanqué des deux Jaunes. Ils sont toujours horriblement calmes.

« Monsieur Kamal, dites-nous qui l'a frappé et nous vous mettrons au B3 en cellule individuelle. »

« Sinon c'est le B4, et dès ce soir », ajoute Dents-d'Acier en souriant.

Ils veulent que je charge Gros-Ba. C'est un chantage, c'est un putain de chantage. Je me sens complètement écrasé.

« Je suis pas une balance. »

Mais ce coup-ci, ce n'est pas la bonne réponse. Une heure plus tard, je partais pour le B4.

Et j'ai dû refaire mon baluchon.

Et j'ai dû m'accroupir au-dessus d'un miroir.

Ensuite ils m'ont mis des entraves aux pieds, menotté les mains. Puis ils m'ont déposé comme un paquet humilié sur une chaise en plastique dans une salle blanche.

Pour la première fois j'ai envie de tuer.

Tuer la patate, aucune fierté, pas de couilles, il sait très bien qu'il ment.

Tuer les Jaunes qui ricanent à la fouille, cette bande de menteurs. O.K., j'ai commis un délit, je dois purger ma peine. Mais ils n'ont pas le droit de me soumettre à un tel chantage, de me punir pour une faute que je n'ai pas commise. Même RedBull, il m'énerve. Le fait qu'il avait raison, que parler à Gros-Ba m'a mené direct à la catastrophe, ça ne fait que me mettre en rage contre lui.

Ce qui me brise, c'est que ces connards s'acharnent sur le lien qui m'attache à Tonio, et à ses amis. Ça me lance comme une brûlure dans tout le corps. Qu'on me laisse donc aimer mon frère ! Qu'est-ce que ça peut leur foutre que j'aime mon frère ? – Puis je m'en veux d'avoir fait confiance aux Jaunes. Juste parce qu'ils sont polis, qu'ils ont la voix grave, instinctivement je les ai pris pour des mecs bien. Quel con ! Je suis un naïf, un putain de naïf.

Tonio, il me trouvait toujours trop confiant, trop optimiste. Il disait, Jo, t'es le ravi de la crèche ! On se disputait souvent à ce sujet. Lui, il était dans le combat pur, front contre front. Moi, je lui disais qu'avec un peu d'intelligence et de la bonne volonté, on pouvait esquiver les coups. Je réussissais mieux à l'école. J'étais celui qui rendait notre mère heureuse. Profondément, je suis un type bien, en tout cas je le pensais jusque-là. O.K., j'ai aidé mon frère à braquer cette bijouterie. Mais c'est qu'il était dans une mauvaise passe, c'était impossible de le laisser tomber face à ses amis, ces mecs-là ils auraient été capables de le descendre s'il s'était défilé. Sinon j'étais réglo comme type, j'avais même un boulot, j'étais le chouchou de la boîte d'intérim, jusqu'à ce braquage. J'ai dit oui à Tonio. Je le regrette aujourd'hui. Mais la vérité, c'est que ça me faisait kiffer d'aider Tonio. J'en avais marre d'être rangé, d'avoir gagné ma petite place au soleil en me soumettant à cette société qui nous dompte. Je n'ai pas pu dire non. Qui n'a jamais enfreint les lois, ne serait-ce que celles de la route ou du fisc ? Qui n'a jamais rien volé ou au moins envié celui qui le faisait ? Qui n'a jamais menti, fraudé, ou éprouvé de la colère face à la Loi, la Norme, la bondieuserie de Règle ? Eux ils disent Trouble, Effraction, Délinquance ; nous on dit Puissance, Vengeance, Liberté.

Ce qui me fout la haine, c'est qu'ils ont gagné ; ils ont gagné contre lui. Non seulement ils l'ont flingué, mais ils peuvent encore le punir dans ma propre personne. Je suis le voyou à mater. Eh bien, je n'ai plus le choix, je dois devenir ce voyou, arrêter de faire confiance aux autorités. Ça, c'est terminé.

Terminé aussi, le Dehors, toute cette vie-là. Prendre sa douche, son café et son bol d'air quand on veut, sans dépendre de ces connards de matons. Et voilà que la moulinette dans la tête recommence. Je rumine des scénarios de vengeance contre Dents-d'Acier, lui fracasser la gueule, lui arracher les dernières dents qui lui restent. Sans doute il s'est fait défoncer les ratiches par des détenus vénères. Je rumine, je rumine, tout en sachant que je ne pourrai rien faire, et que l'humiliation restera comme une épine enfoncée profond. Mais la haine est un vrai réconfort. Elle procure du plaisir. Elle court dans les vaisseaux comme un nouveau sang, elle donne envie de se battre.

Dans la pièce où on me laisse attendre, tout est calme. Je me rends compte dans quelle misère je suis. Même me gratter le nez est difficile avec mes entraves et mes menottes. Le soir me trouve sur la même chaise, il n'y a plus qu'une immense fatigue. Les bruits métalliques de la prison me stressent. Le B4… Est-ce si terrible que RedBull a dit ? Est-ce qu'au moins là-bas, ça pue moins qu'ici ? Je pense à Gros-Ba. J'ai besoin d'un ami. J'ai besoin d'affection. Je voudrais tellement être désincarcéré de ces ténèbres. Que cette prison s'engloutisse sous terre, qu'il n'y ait plus rien.

« Allez, on y va ! »

Les matons me mènent au-dessus de la troisième coursive. Je n'avais pas remarqué qu'il y a là un étage supplémentaire, tout en haut du bâtiment. On monte lentement. Mon pied gauche est relié par une chaîne à un premier Jaune, mon pied droit à un autre, et les anneaux à mes chevilles me cisaillent la peau dès que la chaîne reçoit une tension trop brusque. Chaque pas demande une synchronisation pénible.

J'entre enfin dans un bureau vitré. De là j'ai une vue sur l'ensemble du complexe pénitentiaire. Au centre, lugubre, j'aperçois une immense tour noire. Elle domine un hexagone de six bâtiments délabrés. Les cours de promenade de chaque bâtiment étant triangulaires, j'en conclus que l'enceinte extérieure doit former une étoile. Triste étoile qui ne brille que pour faire souffrir. J'aperçois ensuite une longue passerelle vitrée qui part de notre bureau pour rejoindre directement le bâtiment d'en face, où l'inscription « B4 », énorme, en noir sur la façade grise, me fait malgré moi frissonner.

Au bout d'un quart d'heure, une femme traverse la passerelle, juchée sur une trottinette électrique. De ces trottinettes assez mastoc qu'on voit parfois dans les centres-villes, avec une plateforme pour les pieds, deux larges roues et un gros guidon, le genre de bouffonnerie faussement pratique qui n'a jamais trouvé preneur que chez les boloss et les offices de tourisme. J'imagine qu'une entreprise quelconque a dû s'en débarrasser chez eux. C'est utile pour parcourir leurs fichus couloirs. Faut bien que les chefs aient des avantages.

« Quoi ! Vous ne l'avez pas encore détaché ? Vous croyez que j'ai que ça à faire ? », glapit la femme en sautant de son véhicule.

On me plaque au mur. On me met une ceinture de cuir à laquelle on attache mes deux bras le long du corps. Un des Jaunes s'excuse auprès de la femme qu'il appelle «madame la sous-directrice». Elle, d'une voix cassante, se plaint de devoir «faire la tour et les passerelles en même temps à cause de fainéants comme vous». Les Jaunes s'écrasent. C'est vrai qu'elle est impressionnante, cette femme. Elle est aussi grande qu'eux. À la taille, elle porte une couronne de sangles sur lesquelles grésillent plusieurs talkies-walkies qui émettent des messages et des bips. Pendant qu'elle engueule les Jaunes, ses mains appuient sur l'un ou l'autre des boutons, tapotent sa tablette, prennent un talkie, elle donne un ordre, puis ses mains le replacent sur la sangle sans se tromper, et ses longs bras maigres, en s'agitant ainsi autour de sa taille, renforcent l'impression de colère qui émane de toute sa personne.

La sous-directrice me met, c'est la procédure, une cagoule sur la tête. Puis elle m'attrape par la chaînette de ma ceinture. Je me sens idiot à marcher comme un pingouin derrière cette femme juchée sur une trottinette. C'est sans doute pour que la cheffe se fasse pas assaillir par un détenu. C'est efficace, leur parano, je suis à la limite de tomber. Le trajet n'est pas long. Il y a un silence. Puis la femme m'enlève la cagoule et me donne un coup de cravache en pleine face.

Je hurle. Depuis mon entrée ici, c'est la première vraie violence physique qu'on me fait. Le sang me brouille la vue. Tout le côté gauche, du front à la lèvre, me brûle de douleur. Je crache et ne peux même pas me toucher le visage. Deux gardiens m'embarquent déjà. La femme a disparu.

« Gigote pas comme ça », dit un des deux gardiens qui m'enlèvent les entraves et la ceinture qui retenait mes bras. Ils ont des dents normales et un uniforme bleu. Ils ressemblent à des flics.

« Arrêtez, s'il vous plaît ! Je saigne, merde, je vois rien ! »

J'ai crié avec tellement de conviction que la bousculade s'arrête.

« Donne-moi ta bouteille », dit un gardien.

Je reçois un flot d'eau froide sur la tête.

« Ça va mieux ? »

De fait, ça soulage un peu.

« Elle l'a pas raté », commente le second.

« Elle rate jamais personne », reprend le premier.

« Allez, grouille-toi, bâtard, c'est l'heure de la gamelle. »

C'est ainsi que j'entre au B4. Nous arrivons par la coursive supérieure, le bâtiment étant construit sur le même modèle que le B2. Il flotte ici une odeur également infecte, mais d'une autre nature. Une odeur de renfermé faite de la sueur de centaines d'hommes mal lavés, de fumée froide et de mauvais tabac.

Le vacarme est assourdissant.

Insultes, appels et ordres résonnent dans les coursives, en toutes langues et en toutes intonations. Protestations pathétiques et hurlements de rage, bruits de pas et de serrures, mains avides tambourinant les portes, fracas du chariot apportant la soupe à tous ces privés-de-lumière, le vacarme s'amplifiant à chaque cellule ouverte pour servir le repas. Cliquetis des dizaines de gamelles se cognant entre elles pour la pitance, protestations du gamelleur essayant de les remplir tandis que les gardes frappent dans la masse ; injures des prisonniers envers les matons, insultant leur grade, l'engeance de leur mère ; insultes des matons criant en retour, sales bâtards fainéants emmerdeurs pourritures, bruits d'échos du fond de la coursive, alors que mes yeux y cherchent une issue et où je vois un détenu en frapper un autre.

Le bâtiment B4 est sous l'autorité des gardiens bleus. À l'inverse des Jaunes, les Bleus sont grossiers, pressés, insultants, violents, et, pour notre grand malheur, capricieux. Ce sont des hommes au physique d'abrutis, il n'y a pas à dire autre chose. Ventre en avant, courts sur pattes, le teint couperosé, le tutoiement systématique. Ils doivent leur nom à leur uniforme bleu pétrole, plein de poches, de passants et de ceintures diverses où sont suspendus des clefs, une matraque, mais aussi des blocs de papier de différentes couleurs, des stylos, des badges électroniques, le tout donnant à leur tenue un poids considérable qui contribue à leur énervement continuel.

Nous sommes maintenant devant une porte de cellule, bosselée et dégradée comme c'est à peine imaginable.

« C'est ta cellule, retiens bien le numéro », me dit le Bleu.

Quand la porte s'ouvre, mon regard ne peut percer l'obscurité. Il fait noir comme dans une cave brûlée. Le garde me pousse d'une bourrade à l'intérieur. J'entends alors des bruits de mastication, des voix, mais sans apercevoir ni de silhouettes ni de lits. Je cherche des yeux une fenêtre, la noirceur semble avoir englouti les formes. Une haleine chaude me souffle au visage :

« Toi, le nouveau, tu coucheras là. »

Le fantôme me prend par le coude pour m'asseoir sur un lit. Comme des algues se meuvent, je sens en m'asseyant des guenilles bouger autour de moi en soupirant. Dans l'air flotte l'odeur nauséabonde des émanations humaines. Au centre de cette grotte, je vois maintenant une petite flamme, celle d'un réchaud à huile. Des visages s'en éloignent et s'en rapprochent, comme des spectres apparaissent et disparaissent, ils ressemblent à des cadavres vivants. Je cherche un kleenex dans mon paquetage pour essuyer ma joue en feu. Mais à chaque geste que j'esquisse, je rencontre une main, un pied ou un montant du lit.

« Bouge pas comme ça. »

Une main m'a donné une gamelle. Une purée tiède, immonde. Je ne peux pas avaler plus de deux bouchées. Je la propose à mon voisin.

« Désolé, on n'a pas de caviar, mon gars ! », me répond le spectre en finissant mon assiette. La phrase a résonné fort dans la cellule et un rire méchant, comme une toux collective, s'ensuit. Une angoisse affreuse me saisit tout le corps. La porte est encore ouverte à cause du service. Je retourne sur la coursive d'un bond. Avec une voix que je ne me connaissais pas, je supplie le garde :

« S'il vous plaît ! Ramenez-moi au B2 ! Je suis primaire, j'ai pas mérité ça, je savais pas... »

Le Bleu a levé tout de suite sa matraque. Mais quand il voit que je ne suis qu'un petit chat perdu, il me repousse en disant :

« Ça, fallait y penser avant, mon pote. »

La puissance du choc moral finit par m'assommer. Je me réveille le jour d'après en suffoquant. J'ai le visage brûlant, le corps en sueur.

Je crois mourir en apprenant qu'au B4 la promenade n'existe qu'un jour sur deux et la douche, une fois par semaine. « On n'a pas qu'ça à foutre ! », répond le Bleu à qui je fais remarquer que c'est illégal. « Fais un courrier si tu veux », ajoute-t-il en ricanant.

On est six dans une cellule de douze mètres carrés. Je la vois mieux ce matin-là. Les murs sont noirs de crasse, souillés de projections diverses et de graffitis innombrables. Deux châssis de trois étages étirent leur carcasse à droite et à gauche. Les matelas sont moisis, les ressorts épisodiques. En tant que dernier arrivé, j'ai de la chance de ne pas dormir sur un matelas par terre, il paraît que c'est fréquent. La fenêtre est si étroite, barrée d'un caillebotis serré, qu'elle laisse à peine entrer le soleil. Il y a, dans le maigre espace qui reste vide, une table métallique dont le plateau galeux est couvert d'une guenille qui a dû être une toile cirée. Dessus, quelques ustensiles de cuisine et un réchaud que ces encavés appellent la *chauffe*. Les moins pauvres y font leur bouffe en cantinant ce qu'ils peuvent. Ce réchaud fonctionne avec de l'huile bas de gamme, et dès qu'il est en marche une fumée noire encrasse l'atmosphère déjà saturée de tabac.

Les W.-C. sont bouchés depuis un mois dans notre coursive. Du coup, on pisse dans le lavabo, sans paravent pour se préserver de certains regards. Il faut appeler les Bleus pour le reste. Ce besoin élémentaire suit un rituel tatillon comme seule la prison peut en inventer. D'abord tambouriner contre la porte. Le zigomar, dans la coursive, ne se presse pas. Enfin, on peut sortir. Si on se précipite trop vite au bout du couloir, on risque cinq jours de cachot. « Interdiction de courir ! », crient les Bleus toute la journée. Il faut aller à pas lents vers la porte des toilettes, attendre que la place se libère. Comble de la stupidité, il faut mettre le petit panneau sur OCCUPÉ. Un autre Bleu chronomètre, trois minutes maxi. Les Bleus peuvent nous punir à chaque étape. Dans ce cas, m'apprend-on, on part au prétoire, puis dans les sous-sols, sous la tour. C'est là qu'est le mitard, le cachot, le trou comme on dit aussi. Là-bas, il n'y a pas de fenêtre, on mange mal, on a froid, il paraît que c'est terrible, même les caïds ont la trouille du mitard.

Comme je ne peux pas encore cantiner, je ne mange que du pain et du fromage ce premier jour.

Le lendemain, je me réveille et il est à peine sept heures trente. La pensée de toute cette journée devant moi me plonge dans un accablement abominable. Je suis en manque de tout : confort, nourriture, sommeil, calme, affection. La promiscuité est répugnante. Ce que je suis en train de vivre me sidère tellement, je me dis ce n'est pas possible, on va me sortir de là, c'est une blague, un cauchemar, ce scandale va cesser. Les gens du Dehors ne savent pas, l'apprendront, vont faire quelque chose. Une pareille abomination ne peut pas se passer dans mon pays. Ce genre de prison, ça ne peut exister que dans un quelconque Bélouchistan, dans un pays lointain, sans smartphones ni élections, mais pas en France, pas chez moi. Mais je ne parle à personne de cette sensation de scandale. On me traiterait encore de naïf primaire, celui qu'il faut affranchir, celui qu'il faut dépuceler, celui à qui on va apprendre la vie, et j'en ai assez pour le moment.

Heureusement, je retrouve Gros-Ba en promenade. Il me fait passer une boulette de shit. De la bonne came. Je crois que c'est pour s'excuser de ce qui s'est passé au B2.

« Tu comprends, pélo, les Jaunes sont incorruptibles. Leur truc, c'est l'arbitraire. Les Bleus, par contre, j'en fais ce que je veux. On combine. »

« Tu peux me faire changer de cellule, alors ? », je demande timidement.

« Je leur fournis leur dope. Ils me doivent bien ça. »

« Ils fument ? »

« Tu m'étonnes ! Tu crois qu'ils tiendraient comment, eux aussi, dans cette boîte ? Ouais, ajoute Gros-Ba, j'en fais ce que je veux, des Bleus. Je peux faire tabasser un détenu par les Bleus. Si j'ai pas envie de le faire moi-même… »

Je comprends pourquoi RedBull m'avait prévenu contre Gros-Ba. Ce type est flippant. Mais c'est trop tard, je ne peux plus refuser sa protection. Puis ça me fait toujours du bien de parler de Tonio.

Il faut que je sois patient. Mais Gros-Ba va essayer de me faire sortir de la grotte pourrie qui me sert de cellule.

« En attendant, sers-toi de tes poings, mec. Les caves, ils ne comprennent que ça. »

Le B4 n'est pas forcément réservé aux « mal notés » par les Jaunes. L'administration y place aussi les indigents et les fous. S'entassent ici jeunes, vieux, squelettiques, drogués, bossus, désespérés, yeux sans lumière, vie sans amours. Jamais de silence, jamais de paix. Enfermés comme du bétail, tous se battent pour survivre, chacun protège sa cantine, ses chaussures, ses clopes. On ne se fait pas d'amis dans de telles conditions. On ne parle que par aboiements, Casse-toi de là, Pousse-toi, Ta gueule, Dégage, vieille salope.

Les bagarres s'enchaînent. Les Bleus ouvrent la porte des cellules plusieurs fois par jour pour enlever un blessé ou apporter la bouffe. J'en profite pour me dégourdir les pattes sur la coursive, quitte à me prendre des coups de matraque. Il y a aussi des fouilles de cellule. Une semaine après mon arrivée, les Bleus nous vident tous, et dedans c'est le saccage. Si on refuse de réintégrer, ils tapent dans le tas jusqu'à ce qu'on cède.

Comme je fais des pompes, un type me lance :

« Bouge pas comm'ça, merde ! T'es pas tout seul, bordel, t'as pas r'marqué ? »

Il jacte nerveusement, le regard injecté de sang. C'est un des rares à avouer sa culpabilité. Tous les autres encavés ne parlent que d'erreurs judiciaires. Lui, il me dit :

« Je l'ai niqué, c'pédé, j'l'ai attendu en bas de l'immeuble et j'y ai réglé son compte. »

« De qui tu parles ? »

« D'mon connard d'voisin. L'avait rayé ma caisse. L'avait insulté ma meuf et mes gosses. J'lui ai dit qu'j'allais le buter, il m'a pas cru, c'con-là. Mais un soir qu'y mettait encore sa musique à fond, j'ai pris l'vieux fusil de chasse et j'l'ai tiré. Il a pas cané mais l'est devenu 'plégique. Et j'vais te dire, ça m'a fait une décharge, j'ai aimé ça. T'as déjà tiré sur quelqu'un, toi ? »

« Non. »

« T'devrais essayer, mec. C'est quoi ton nom déjà ? »

« Joseph Kamal. »

« C'est quoi c'nom d'merde ? Y veut rien dire, ton nom. T'es rebeu ou t'es céfran ? Tu peux pas avoir deux bouts d'noms comm'ça différents. »

« C'est mon nom, je t'emmerde. »

« Moi aussi j't'emmerde, sale pédé. »

« Va chier, crevard. »

« C'est toi, l'crevard. D'toute façon, y't'faut un surnom. Tout l'monde il a un blase. J'vais t'appeler Bigoût, comme les malabars pour les gosses. Tu fais le fier comm'ça, tu tournes avec Gros-Ba à la promenade, mais t'es qu'un gamin. Bigoût, quoi. »

« Si tu veux. »

« Moi mon surblase, c'est Le Sanguin. T'sais pourquoi ? »

« Je devine. »

« Parce que j'aime le sang. J'aime me battre. Ici j'me bats tous les jours, on s'tape tellement sur l'système. Dès qu'y'a une baston, j'en suis. Ça m'fait une décharge. Faut dire, j'ai toujours connu ça. Dès l'berceau, mon daron y'm'frappait. C'est pour ça qu'j'ai c'te sal'tête. Remarque, j'ai quand même pu m'marier, ma femme elle vient me voir au parloir. Et toi, Bigoût, t'as pas de parloir ? »

J'ai le dos posé contre la porte, je reprends mon souffle.

« T'as pas de parloir ? Les braqueurs y zont toujours des parloirs. »

« Non. »

« Mais t'as pas une mère, une sœur, qui pourrait venir te voir ? »

À ces mots mon cœur se ferme de chagrin, et ma bouche aussi.

Le temps passe, cruellement, lentement, et l'envie de hurler, de hurler comme un fou, me prend parfois en retour de promenade, quand la serrure tourne avec un bruit sinistre et que je suis enfermé pour quarante-huit heures dans cette cellule noire. J'ai envie de tuer, de frapper, de mourir.

Je joue des poings. Je m'approprie la place d'un type parti au mitard, une place à mi-hauteur sur le lit superposé. J'ai noté que c'est la meilleure. Enfin, la moins pire.

« Non, Bigoût, ça va pas se passer comm'ça », dit Le Sanguin qui a eu la même idée.

C'est vrai que le type aime se battre, mais il n'a pas la technique. En trois minutes, il pisse le sang. Mais dès le lendemain, en retour de promenade, la place a été captée par un grand costaud, et c'est moi qui perds la bagarre. Tout est à recommencer.

Cinq jours plus tard, un Bleu me crie au petit-déjeuner :

« Kamal ! Fais ton paquetage, tu changes de cellule. »

Avec soulagement, je vois qu'on descend les escaliers. Je sais que dans les coursives inférieures, les chiottes fonctionnent.

On s'arrête devant une cellule à la porte tout aussi défoncée et miteuse.

« Je contrôle ton paquetage, dit le Bleu en me l'enlevant des mains. On te le rend après qu'on l'a fouillé. »

« Renversez pas le nescafé sur mes fringues, comme l'autre fois ! »

« Tu vas pas m'apprendre mon métier, merdeux. »

Le Bleu ouvre la porte. Dans la cellule, beaucoup moins sale que celle d'où je viens, je vois avec plaisir Gros-Ba et des mecs de sa bande.

Moi je suis tout sourire, ce changement est sans doute la meilleure chose qui me soit arrivée depuis que je suis ici. Mais son accueil est anormalement froid. Dès que la porte se referme, il m'agresse :

« C'est qui le patron, Bigoût ? »

« Hé, Gros-Ba, tu me fais quoi ? »

Il s'est approché dangereusement. Le temps que je comprenne, il m'a envoyé son poing dans la gueule.

« Wallah ! C'est toi, le boss ! O.K. ! Arrête ! »

Je crache du sang.

« Sérieux, Gros-Ba, tu me fais quoi ? C'est quoi c'délire ? »

« Maintenant qu'on est ensemble en cellule, Bigoût, faut que tu engrammes bien. Quand je te demanderai quelque chose, tu le feras. C'est pigé ? »

« C'est pigé. »

J'ai perdu mon sourire.

« J'ai autre chose à te dire. »

Les autres lascars dans la cellule font mine de ne rien entendre. On apprend ça en prison.

« C'est moi qui t'ai fait venir ici... »

« Oui, j'en doute pas, Gros-Ba, merci. »

« Ta gueule, j'ai pas fini ! C'est moi qui t'ai fait venir au B4, qui t'ai sorti des arrivants. »

J'ai une sorte de vertige.

« Tu... Tu veux dire que... »

« Ouais, pélo, c'est moi qu'ai dit à l'autre maravé de t'accuser. »

C'est comme si un morceau de béton me tombait dans le ventre.

« C'est toi ? Mais t'es un crevard ! »

Les sweat-capuches ont tourné la tête vers nous. Il ne faut pas parler comme ça à leur chef.

« Je suis le frère de Tonio, tu aurais pu... »

Je prends une deuxième mandale. Avec ça, je commence à toucher à la machination. Depuis le début, Gros-Ba me teste, il veut un mec entièrement à son service, alors il me fait transférer au B4, avec la garantie que je suis pas une balance. C'est tout bénef. Pourtant, il y a un truc qui cloche.

« Et pourquoi tu me la dis, ta combine, boss ? je demande en crachant de nouveau du sang par terre. Ça te suffit pas de savoir que je suis un mec sérieux ? T'avais besoin de me traîner dans ce B4 de merde ? Pourquoi tu me racontes tout ça ? »

« Pour que tu saches de quoi je suis capable, pélo. »

Oui, c'est bien ça. Gros-Ba veut que je fasse profil bas. Ça me coule comme une rage. Je peux pas encaisser tout non plus.

« T'es vraiment un salaud ! Je suis pas ton chien non plus ! »

Les mecs se sont levés. Moi, je suis prêt à me battre. Ça me ferait même du bien, j'ai trop les boules.

« Tu vois, Bigoût, pour ce que tu viens de dire, je pourrais te mettre ma bite de renoi dans ton petit cul pendant que les autres y matent. »

Dans le silence qui suit, je comprends que toutes mes manières de réagir, de me révolter et de parler doivent être entièrement revues, que je dois tout changer si je veux sauvegarder ce qu'il me reste de dignité.

« Mais on va pas le faire… On n'est pas des pédés ici. T'es un pédé, toi, Jo ? »

« Non… »

« De toute façon j'ai une manière moins fatigante de mater les primaires de ton espèce. »

À ce moment-là, la porte de la cellule se rouvre. Un Bleu me hurle de le suivre. Je repars illico dans la coursive.

J'ai tout le corps qui tremble de ce que je viens d'entendre. J'ai vraiment cru qu'ils allaient me violer, j'en ai des sueurs froides. Du coup, je ne fais pas le lien avec ce qui se passe. Les deux Bleus de service sont pourtant connus pour être de vraies brutes. Ils m'emmènent dans leur bureau.

« Kamal, on a trouvé un truc prohibé dans ton paquetage. »

Le Bleu me montre un téléphone portable. Un petit Nokia que je n'ai jamais vu avant.

« Mais c'est pas à moi ! »

« Alors c'est à qui ? »

« Je sais pas, quelqu'un l'a mis là. »

« Ah oui ? Qui donc ? rigolent-ils. Notre ami Gros-Ba, peut-être ? Fais attention à ce que tu vas dire. »

Je reste figé de stupeur.

« T'as deux solutions, mec. Ou c'est vingt jours de mitard, ou c'est la cellule 33. À toi de choisir. »

Une fois que je suis enfermé dans la 33, ils me donnent cet ordre immonde :

« À poil. »

Rien à faire, je dois me déshabiller. Je crois à une fouille, mais dès que je suis nu, les gardiens se retroussent les manches. Ils sont cinq derrière la porte fermée de cette petite cellule de fond de coursive. Le sol est en carrelage, ce n'est pas normal. Ce n'est pas normal qu'elle sente l'eau de Javel.

Un Bleu m'attrape par les cheveux et me jette au sol. Une pluie de coups s'abat sur moi. Je me tords comme un rat qu'on écrase. Ils frappent sur mon crâne, sur mes jambes, les coups pleuvent partout.

Un cri sort de ma gorge. Je suis cet homme jeté à terre et tabassé, sans vêtements, sans défense. Mains et coudes, je me tortille sur le sol froid. Chocs succédant aux chocs, cris et râles, mon corps se couvre de bleus. Ce n'est pas une bastonnade, c'est un massacre. Je hurle plus fort, je suis terrorisé, j'ai peur de mourir sous leurs coups, des éclairs de douleur me rentrent dans le crâne. Mains tremblantes contre ma nudité, carrelage sur dents cassées, murs, nez explosé, lèvres fendues. Je leur demande d'arrêter, en réponse, leurs rires, mais les coups se supportent, pas d'être crucifié par cette brutalité en réunion. J'entends mon cri. Une longue meurtrissure s'ouvre, du sang jaillit plus fort, alors ils partent.

En riant, emportant mes vêtements et me laissant avili comme on n'avilit pas un homme. Je pleure. Amusante vision, sans doute, pour un maton, que ces sanglots sur une dalle froide. Plusieurs heures ainsi pleurant, allongé par terre. Rien ne m'était jamais arrivé d'aussi violent. J'ai mal partout, je suis affreusement humilié et victime d'une manipulation qui me dépasse dans sa monstruosité.

Les heures passent, aucun médecin ne vient. Cet abandon me déchire plus que la douleur physique, il déçoit une attente profondément ancrée dans mon esprit. La détresse me submerge. C'est une souffrance atroce d'être ainsi abandonné, surtout quand on sait que derrière les portes, pardelà les coursives, au fond d'un autre couloir, il y a un médecin, une infirmerie, mais que ces gens ne seront pas prévenus. Je ne suis pas seulement battu en dehors de toute justice, mais laissé sans secours. J'aurais tellement besoin qu'on me porte assistance, que quelqu'un d'étranger à toute cette histoire vienne prendre mon pouls et faire les gestes convenus. J'attends en vain, blêmissant et tremblant, sans rien pour me couvrir.

Ces heures d'après ont trop glacé mon être, elles ont supprimé l'héritage passé, toutes valeurs apprises. Les hématomes déforment mon visage, chaque pensée me glace davantage, comme si un froid définitif entrait dans mes veines. On ne me rend mes vêtements que vingt-quatre heures après. Reste une souffrance, incicatrisée. Dans cette cellule s'enterre le gosse que je suis, celui qui faisait encore confiance aux autres, ce en quoi il croyait. Maintenant que j'ai compris que les Bleus agissent sous les ordres de Gros-Ba, je comprends aussi le rituel d'initiation auquel je suis soumis. J'ai accepté sa compagnie, ses cadeaux, son shit, je ne peux plus sortir de son emprise. À part me suicider, ce dont je suis viscéralement incapable, je dois courber la tête, lui obéir.

Mais j'ai beau en vouloir à Gros-Ba, les matons me révulsent encore plus. Tous des bourreaux potentiels, des pantins, des mecs à crever. Et puisqu'en prison les gardiens n'ont d'autorité que dévolue par le Dehors, toute la société dans ses structures les plus élémentaires est détruite par ce tabassage. Chacun y a perdu avec mon jeune sang. Mon innocence contre sa prétendue moralité, mes illusions contre sa valeur d'ordre, ma jeunesse contre sa pathétique idée de progrès.

Je reste enfermé quatre jours dans la 33. Sans aucun soin. Mais la jeunesse a une grande force de rémission. Je mange ce qu'on me donne. Je lèche mes plaies comme un animal. J'analyse le piège dans lequel je suis tombé. Et cela m'ouvre des perspectives qui, tout en m'effarant, renforcent ma haine. Ce n'est plus une haine étroite et médiocre, celle des premières humiliations, non, c'est une haine comme une drogue dure. Elle fait jaillir dans le cerveau des consolations fantastiques. Elle caresse l'ego. Elle transforme l'humiliation en désir de cruauté et l'orgueil en mépris des autres. Je ne hais plus seulement les matons, je hais aussi cette engeance de damnés qui croupit là, encline à la soumission, complice des guets-apens. Dans cette cellule étroite, sans matelas, mes pensées-haine se répercutent d'un mur à l'autre. Je m'y adonne avec plaisir, suivant de longues fantaisies mentales où moi seul, brûlant la prison, reçois le pouvoir de vie ou de mort sur les détenus et les gardiens, les faisant tour à tour pendre, brûler vif, empaler. Parfois la rêverie s'arrête brusquement, mon cœur plonge dans une fosse de chagrin à la pensée de mon frère. Je comprends pourquoi Tonio ne m'a jamais dit un mot sur ce qu'il a vécu ici.

…

Quand on me sort de là, j'ai maigri de six kilos. Les Bleus ne me remettent pas avec Gros-Ba, mais avec un de ses lieutenants. Un braqueur, un *mec sérieux*, à queue-de-cheval, que j'avais vu près de lui en promenade.

C'est lui qui gère mon apprentissage. Ses conseils se résument à : « Méfie-toi. »

Certains jours, c'est : « Méfie-toi, tout le monde il veut t'enculer ici. » D'autres jours : « Méfie-toi, tout le monde il est démâté ici » ; « Méfie-toi, Bigoût, la taule, c'est rempli de camés et de haineux, ça médit, ça ragote, faut pas trop causer. »

La-Miche connaît bien la prison. La-Miche a du shit et d'autres drogues à vendre. La-Miche a des téléphones, des talbins, des trafics à faire tourner avec Gros-Ba. Il exécute d'abord les ordres du grand patron. Puis il fait son propre business. Il a des amis dans tous les bâtiments.

Dans la nouvelle cellule, on me donne un bon matelas et de nouvelles chaussures. Les sweat-capuches font preuve à mon égard d'un certain respect. À croire que mon passage par la 33 m'a conféré un autre statut. Les lascars me soignent avec une douceur étonnante, presque féminine. Ils me donnent à manger des choses qu'ils cuisinent eux-mêmes.

« Quand même, la zermi, ces enculés de Bleus z'avaient pas b'soin d'taper si fort », me dit l'un d'eux un matin.

« C'est pass'que t'es le reuf à Tonio, me dit un autre plus tard. Gros-Ba l'est toujours plus dur avec ses amis. »

L'ambiance de la cellule est très différente de celle que j'ai connue. Les murs sont propres, on n'est que six. Au lever, tout le monde fait son lit. Et des pompes, bien sûr, chaque matin. Faut pas mollir. Organiser son temps. Avoir son propre règlement, que celui des Bleus ne soit plus le seul à s'imposer. Curieusement, au lieu de nous contraindre plus, cela nous garantit de la liberté, ou quelque chose d'approchant.

Mon esprit s'affûte. Je pose moins de questions. J'apprends à fabriquer une chauffe, à savoir tuer un type avec une fourchette, je deviens un as du yo-yo. La-Miche m'aide à adopter la *mentale* des voyous, cet état d'esprit qui fait tenir ferme dans la galère, serrer les dents quand il n'y a pas le choix et à frapper pour faire mal.

Comme j'ai le bac, on me demande d'écrire des lettres aux avocats. Parfois je dois cacher des taz ou du shit, d'autres fois faire passer des téléphones en promenade. Et si je dois accuser un type à tort, je le fais. Le soir, on mange un repas cuisiné avec le pécule de chacun. Il y a des tours de vaisselle. La-Miche a droit à une part supplémentaire.

Enfermés avec nous en cellule, il y a toujours un ou deux détenus qui ne sont pas de la bande et que les Bleus mettent là pour quelques jours. Ces types nous servent d'esclaves pour nettoyer la piaule. Ils passent le balai par terre. Ils n'ont pas intérêt à ouvrir leur gueule. On surnomme ces types «la cave». On dit «Prends quelqu'un de la cave avec toi», «Fais faire ça par une cave»… La plupart n'ont pas vingt ans.

Comme nous prenons nos douches tous ensemble, j'ai vu leurs corps. Ces jeunes peaux d'enfants battus. J'en vois passer des gosses coffrés pour des motifs minables. Fiers le jour, ils pleurent la nuit. Ils sont à peine majeurs mais la prison ne leur épargne rien : les cris des méthadonés en manque, les mecs qui se hèlent par les fenêtres, les repas infects qu'ils ne peuvent pas refuser, le haut-parleur grésillant continuellement, et la puanteur, la chaleur, le gris, les insultes, et toujours l'ombre, l'ombre sale et ce noir dans le cœur. La prison, c'est un grand ensemble. Tu ne peux pas juste purger ta peine, t'es pris dans le bloc – je leur aurais dit ça, à ces gosses, si seulement j'avais pu les prendre dans mes bras, mêlant à défaut de frère mes larmes aux leurs, tellement certains visages soulevaient dans mon cœur une pitié dangereuse.

Et ces nuits heurtées, pleines de fracas. À huit heures du matin, les verrous broient les rêves de la nuit. L'auxiliaire sert de l'eau chaude et du pain. Alors recommencent trafics et combines. Recommencent les manigances des Bleus dans le jeu de qui manipule qui. Les gardes suscitent chez moi une haine puissante, j'ai en horreur leurs ongles sales, leurs gestes obscènes, leur humeur aigrie, celle des vieux dévorés par le vice de la méchanceté. Mais j'ai changé, je ne réponds plus aux provocations.

Je change, mais au fond de moi je n'accepte pas. Comment ces connards nous parlent, cette manière de nous dégrader, le haut-parleur qui siffle toute la journée, et le racket sur nos cantines, chaque détail jusqu'au plus dérisoire soumis à un règlement souverain, archaïque, omniprésent, et pour tout dire carrément imbécile.

Quand je me sens trop mal, quand je veux crever que d'en supporter plus, La-Miche laisse tomber le kif. Il écrase des comprimés de Lamaline, mélange ça avec de la noix muscade et me permet d'en sniffer des rails.

La-Miche est un enfant du béton, il porte sur ses épaules une lourde suite de malheurs qui, régulièrement, l'accablent à en devenir fou. C'est de la misère plein la gueule, plein la gueule de rage et de pulsion meurtrière. Quand il craque, La-Miche marave quelqu'un. Le dimanche soir, c'est presque systématique, il attrape une cave par les oreilles, et comme pour se libérer d'une oppression ancienne, il bastonne le gamin. Lentement, lourdement. Le pire, c'est que ça tombe presque toujours sur le plus faible, celui qui a déjà une tête de victime. Le gosse encaisse sans rien dire, habitué à prendre sa raclée. Des lascars se joignent à La-Miche. Moi-même, ça m'arrive de frapper avec eux. Ça nous venge des murs, des gardiens, du procès qui fait peur, de toute cette chiennerie. Mais c'est toujours la même violence que nous recommençons et dans laquelle se continue la même fatalité, celle qui assigne les plus forts à l'exercice du mal et les plus faibles à endurer ce mal avec une servilité que je trouve plus répugnante encore.

D'autres fois, quand tout est calme, que toutes les combines se sont bien passées, une sorte de trêve s'installe. On met la musique à fond, on rigole en buvant du coca. La cave souffle, les lascars s'amusent. Je peux croire un instant que les autres me comprennent, me soutiennent, qu'on partage quelque chose. Mais ces moments sont rares et brefs, je ne me fais plus d'illusions. L'amitié est définitivement abîmée. Comme toute possibilité de fraternité vraie, de recours possible. Ici les gardiens sont capables de vous laisser crever, les amis de vous trahir. Chaque jour je fais ces satanées pompes. Je ne me confie pas.

Le pire, dans ce durcissement, c'est que j'en arrive à douter de mon propre frère. À me dire que Tonio s'est peut-être servi de moi et que, là aussi, je me suis fait manipuler. Mais c'est une pensée trop atroce, et je me force à l'écarter.

D'autres soirs, j'ai la certitude que Tonio a tiré sur les flics pour mourir. Les flics ont répondu, ils étaient en légitime défense, ces connards. Tonio préférait se faire buter sur le trottoir devant cette bijouterie plutôt que de revenir ici. De me voir endurer ça. La longue humiliation de son frère, sa métamorphose en une chose brute qui serre les dents. C'est la seule pensée qui peut encore m'émouvoir. Mais je ne peux pas pleurer, pas ici.

J'ai tellement envie d'être seul maintenant. Entièrement seul. Le besoin de solitude me torture presque physiquement. Ah, qu'on me donne de l'air, de l'espace. Combien je donnerais pour ne plus voir personne, pour ne plus les entendre, ces hommes, ces détenus, ces corps près du mien, ne plus les voir bouger, combiner, dominer, causer, ne plus les entendre mastiquer, se gratter, ronfler, pisser, et répandre autour de moi toute cette saloperie d'humanité.

II

La catastrophe

La mort vint un matin.

Il a suffi d'une longue fissure, d'une explosion. De l'air soufflant la mort par des rayons.

D'invisibles radiations et tout a commencé.

D'invisibles radiations qui très vite ont tué.

Et vos villes aux rues remplies de médisance, villes où les pauvres se recroquevillaient, où les mères vivaient le cœur intranquille et les riches jamais rassasiés, vos villes et tous ceux qui s'y trouvent, tous les cœurs, les bons et les fourbes : désertées.

La moitié de l'Europe irradiée. La moitié de la France évacuée.

Vous couliez béton sur béton.

Vous vous pensiez en sécurité.

Vous disiez « Nous contrôlons nos inventions » et c'est la catastrophe qui a pris le contrôle.

Vous disiez « Nous maîtrisons le danger » et le danger est venu d'un autre côté.

Vous disiez « Nous réagirons rapidement » et la catastrophe a été la plus rapide.

Vous pensiez vivre éternellement. Vous n'écoutiez plus les plaintes, vous ne craigniez pas les tempêtes. Il a suffi d'une longue fissure, d'une explosion. De l'air soufflant la mort par des rayons.

Les radiations survolant vos visages, et déjà vous ne pouviez plus vous lever.

Comme un rêve, une vision nocturne. Ce cauchemar : ceux qui sont debout regardent le ciel, soupirent et tombent. Les cris des nourrissons sur les quais de gare, il n'y a plus d'entraide et tout est dévasté.

Ainsi en fut-il de vos terres, vos villages, vos familles, et jusqu'à vos nations alliées.

Des radiations d'un nouveau type et vos certitudes sont tombées.

Il n'y a pas à chercher de faute originelle. Ni de vaccin ni d'explication.

Des radiations d'un nouveau type et mille millions de décès.

Les hommes, les femmes, les enfants. Un sur mille est épargné. La plupart des chiens, les chevaux, les vaches. Mais les arbres, les plantes, les mouches, les vers de terre ont continué. La nature continue avec ces fleurs violettes, c'était en avril.

Quelques départs de feu, qui s'étouffent.

Les routes maintenant vides.

Les villages dans le silence.

Vos blés ne seront jamais récoltés.

Il n'y a plus d'allégresse, plus d'ambition. Plus de petit café au tabac-maison de la presse. Mais des rats formant des meutes cherchent à dévorer vos possessions et vos déchets.

Que trouvera-t-on dans vos maisons quand on aura retiré la vie électrique ?

Que restera-t-il des disputes conjugales et de vos maladies chroniques ?

De toute cette rapacité ?

« Quoi ? »

Joseph a crié en bondissant du lit. Dans l'entrée, l'homme qui est apparu est propre, il paraît en bonne santé. Il a les bras croisés et parcourt l'épicerie du regard. Il peut avoir quarante-cinq ans.

« Qu'est-ce que tu fais là, toi ? T'es pas malade ? », répète le type.

« Vous… Vous êtes le propriétaire ? », Joseph a articulé enfin.

L'autre s'est mis à rire, à rire longtemps, et ça faisait comme des bûches tombant les unes sur les autres.

« C'est tout ce que tu trouves à dire ? »

« Tu crois que ça existe encore, des propriétaires ? reprend-il d'un ton plus grave. Non, ne t'inquiète pas, je ne suis pas l'épicier, tu peux continuer à manger le stock. »

Joseph s'habille à la va-vite. Il n'arrive pas à remettre la main sur son arme.

« C'est ça que tu cherches ? dit l'homme en lui montrant son revolver. Faut la mettre sous ton oreiller, sinon ça te sert à rien. »

Il parle d'une voix si tranquille que Joseph en reste idiot. C'est le premier homme qu'il voit depuis trois semaines. Soit il est très futé, soit il est inoffensif, en tout cas Joseph ne peut pas le braquer après un geste pareil. Le mec pose le revolver sur la table.

Comment a-t-il pu apparaître ? La veille, Joseph était seul dans les faubourgs, et une fois de plus il s'était couché en se promettant de partir le lendemain. Peut-être remonter vers la côte ou prendre vers le nord jusqu'à ce qu'il croise quelqu'un. Il finirait bien par entrer dans la zone nord, celle qui a été épargnée par les radiations.

L'autre a disparu de son regard. Il se promène dans la supérette. Sans doute a-t-il faim et est-il allé piocher des gâteaux. Joseph se sert depuis deux semaines dans les rayonnages. Il s'est organisé. Il a apporté un réchaud à gaz, un bon matelas. Il a aménagé une espèce de coin cuisine avec de la vaisselle récupérée dans les appartements de l'immeuble. Il a trouvé des fringues, un rasoir, tout ce qu'il lui faut. Joseph regarde le type. Des dizaines de questions se bousculent dans sa tête, mais tout ce qu'il trouve à dire c'est :

« Alors vous aussi, vous êtes pas mort ? »

« Comme tu vois. Faut croire qu'on est plus solides que les vaches. »

« Pourquoi vous dites ça ? »

Le type lève un sourcil.

« Parce que les vaches aussi sont mortes, les chevaux, les ânes… Enfin, d'après ce que j'en ai vu… »

Mais Joseph ne l'écoute pas vraiment, il regarde l'expression de son visage. Si c'était un pillard, il serait davantage sur ses gardes. S'il avait perdu sa famille dans la Catastrophe, il devrait être bouleversé. Au contraire, il est très calme.

« Mais toi ? questionne-t-il, qu'est-ce que tu fous là, encore en ville ? »

« Je vais vous expliquer… Ça vous dit, un café ? »

Peut-être est-ce un maraudeur en cavale. Il porte une parka un peu chaude pour la saison, une parka verte très moche. Peut-être qu'il vole et viole dans les villes du coin. Dans un tel chaos, qui peut savoir ? Il faut se méfier en tout cas. Joseph regarde l'arme sur la table, il pourrait la reprendre, elle est à lui, mais s'il fait ça maintenant, ça risque de tout faire partir en sucette.

Déjà ces pensées l'ont fatigué. Il faut trouver un mensonge crédible avant que le café soit prêt. Il faut parler.

« J'ai perdu ma femme dès les premiers jours après l'explosion. Quand j'ai voulu prendre le train pour évacuer, c'était tellement de la folie que ça a fini en baston générale, c'était pas joli à voir… Avec d'autres, ils nous ont laissés là. C'était vraiment horrible. Ils sont tous morts. Je pensais que j'allais mourir aussi. Mais j'ai même pas été malade. Y'a plus une voiture ici, plus un scooter. J'ai fini par rester… Je crois que je suis un peu paumé en fait… Je pensais pas recroiser quelqu'un. Et vous, comment ça se fait que vous m'ayez déniché ici ? »

« Tu peux me tutoyer, tu sais, ça n'a plus d'importance », répond-il avec un air de détends-toi-tout-va-bien-se-passer.

Joseph comprend que l'autre ne croit pas un mot à ce qu'il vient de dire. L'homme regarde les cicatrices de son visage. Après trois ans de taule, il y en a beaucoup – sans compter la balafre. Joseph se détourne. Il faut aussi surveiller la cafetière italienne. Ça fait trop de pensées en même temps, il n'est plus habitué.

Joseph saisit la cafetière et remplit deux tasses de céramique grise. Il a mis des soucoupes sous chacune. Le gars s'est assis. Joseph ouvre des gâteaux secs et commence à petit-déjeuner. Du soleil entre par la porte laissée ouverte. L'homme prend sa tasse entre ses doigts et la porte à ses lèvres. À cet instant, sans qu'il comprenne, Joseph se sent soudain très content ; content qu'un homme soit entré chez lui, et de lui avoir servi un café. C'est tellement agréable de partager ça. Ça fait tellement d'années qu'il n'a pas…

« Hé, qu'est-ce qui te prend ? Faut pas pleurer comme ça ! »

Joseph alors parle, il parle beaucoup. Tant mieux si l'autre le prend en pitié, il faut le baratiner. Il raconte des détails vrais : comment il a survécu dans la ville abandonnée, comment il a cru être malade sans jamais l'être. Il ne dit rien de l'évacuation de la prison, comment avec d'autres détenus ils ont sauté du camion où on les avait entassés en urgence ; il ne dit rien de cette sensation du tout-est-permis, des autres détenus comme Gros-Ba qui meurent en se recroquevillant. Mais il parle de ces corps noirs comme des sauterelles, de la ville désertée, du silence mortel.

Le type écoute. Puis il parle à son tour. Il raconte que les chats, les moutons et peut-être les chèvres ont survécu. Il semble accorder beaucoup d'importance à ces histoires d'animaux. Il dit qu'au nord de la ligne Nantes-Besançon, là où les radiations ne sont pas passées, il y a des camps pour les réfugiés. La centrale qui a sauté était d'une génération nouvelle et quelques irradiés semblent immunisés, c'est peut-être une question d'ADN. Il doit y avoir un gène qui les protège. Il a envie de voir un médecin pour en avoir le cœur net.

« Je pense que la France entière a envie de voir un médecin », ajoute-t-il avec un rictus triste.

Joseph écoute, mais malgré ses efforts pour se concentrer, il n'y parvient pas, il ne se sent pas concerné. La Catastrophe lui a permis de s'enfuir de la prison, elle avait tué pas mal de gardiens, c'était facile de sauter du camion. Ce qu'il s'est passé avant, ce que les autres ont fait, il n'arrive pas à s'y intéresser vraiment.

Il y a un silence. Un silence total, sans voitures, sans bruit nulle part. Qu'est-ce qu'on est censés se dire quand on se rencontre plusieurs semaines après une catastrophe ayant supprimé la moitié de la population ? L'homme est plongé dans la contemplation du fond de sa tasse. Peut-être qu'il n'ose pas lui redemander du café. Ça existait, avant, ce genre de politesse.

« Toi aussi, tu manges des conserves ? », remarque le type.

« Ouais, faut quand même avouer que pour faire les courses, c'est plus simple. »

« Tu parles, j'ai même ratissé quelques bijoux, pas toi ? », demande l'homme à voix basse.

Joseph bafouille, ça sent le piège.

« Non, les bijoux, ça se mange pas. »

L'autre plisse les yeux et change de sujet.

« Tu crois que les gens reviendront dans cette zone ? »

« Quelle zone ? »

« Ben, la zone contaminée ! T'es vraiment paumé, toi. Tu verrais ça, tout est vide, vide, c'est dingue. Je me demande si c'est pour toujours ou si les gens vont un jour revenir. »

« Je sais pas, je me suis pas posé la question… Mais les radiations, c'est pour longtemps, non ? »

« On ne sait pas avec celles-là… C'était pas une centrale comme les autres. »

« Ouais, sinon on s'rait pas là à causer. »

Le type se roule une cigarette. C'est étrange qu'il prenne la peine de s'en rouler une, on peut allègrement se servir dans tous les bureaux de tabac. En le voyant rouler sa clope, Joseph se rappelle la prison et sa respiration s'arrête. Il n'avait pas repensé à la prison, jamais, depuis un mois. Après la Catastrophe, il a fallu survivre, piller, se planquer, éviter tous ces morts. Il n'a pas eu le temps de se ressouvenir. Mais là, en voyant ce geste simple et délicat qu'il a fait mille fois en taule, tout lui revient. Et dans le même temps, tout lui semble projeté à une distance infinie. Comme si ces trois années avaient été englouties. La-Miche lui disait à l'époque: «Tu verras, t'oublies vite le placard, ça tombe dans un gouffre dès que tu mets les pieds dehors. T'es content, mais t'as le démon aussi, toutes ces années parties en fumée...»

Pendant ce temps l'homme en parka détaille les raisons probables de leur immunité génétique. Joseph a vraiment du mal à suivre.

«J'ai une voiture, je t'emmène avec moi», dit l'autre soudain.

Joseph le regarde. Il est vaguement tenté. Il ne pourra pas rester éternellement ici. Il se planquait un peu par réflexe, mais les circonstances ne sont pas celles d'une cavale ordinaire. Les cartes sont rebattues, il faut peut-être sauter sur l'occasion. Cependant, quelque chose dans l'attitude de l'homme se fait trop pressant.

«Je crois qu'il y a trois cents kilomètres à faire. Sans moi, tu n'y arriveras jamais. T'es le premier homme que je croise, je vais pas te lâcher comme ça.»

Son insistance est bizarre.

«Comment tu peux le savoir qu'y'a que moi d'vivant? T'as pas fouillé toutes les cités...»

L'autre esquive.

«Je n'ai pas envie de rester là, c'est vraiment trop déprimant... De toute façon, ajoute-t-il en se levant, c'est interdit. Les autorités ont coupé la radio, l'eau et l'électricité. Ils ne veulent pas que des pillards restent derrière. »

Joseph se fige. Dans cette voix il a perçu comme une ombre de force, une ombre familière à ses oreilles.

« Vous êtes flic ? », demande Joseph d'une voix blanche.

Son intuition l'a trahi. Le type lui lance un long regard.

« Eh oui, je suis flic », répond-il comme à regret.

C'est comme recevoir un coup sur la tête. Joseph est en train de laver les tasses dans le coin cuisine avec de l'eau minérale, comme il le fait depuis dix jours, et ses mains se mettent à trembler.

Putain, ils sont increvables, c'est pas possible, c'est pas Dieu possible – l'autre passe devant le revolver et l'empoche – nom de Dieu, ces fils de putes sont partout…

« Vous avez ordre d'abattre les pillards, c'est ça ? »

« Hum. Disons que je fais la voiture-balai. J'ai pu me mettre en rapport avec Paris. Tu as de la chance, tu sais. Ce qui intéresse les autorités, ce sont les immunisés comme toi et moi. Les vrais. Alors, si tu es sage, on oublie ces dernières semaines. On te transfère dans la zone sécurisée où les équipes médicales vont t'observer. »

Joseph reste figé devant le bac à vaisselle.

« Allez, ne me force pas à t'embarquer, dit l'autre calmement. Si tu te plies à tout ça on effacera ton dossier. »

« Quel dossier ? » Joseph a presque crié.

« Eh bien, vu ta tête, je dirais que tu sors de prison. Vu que tu restes planqué ici alors que tout le monde cherche à passer dans l'autre zone, je dirais que tu as un casier plutôt lourd. Je me trompe ? »

Il est content de lui, le flic. En parlant, il a appuyé une main contre le mur. Dans ce geste, sa parka s'entrouvre et Joseph voit luire une paire de menottes sur sa hanche. C'est trop pour lui.

Peut-être qu'il disait vrai, que Joseph aurait pu monnayer une analyse de son ADN contre une amnistie. Il ne saura jamais. L'autre le regarde, il y a dans ses yeux un air de surprise. Joseph a enfoncé la fourchette droit dans la carotide. Exactement comme La-Miche le lui a appris. Le flic tombe à genoux avec une lenteur remarquable. Le sang est d'un rouge très vif, très liquide. Joseph le finit à coups de pied, craignant soudain qu'il ne soit pas seul ; il ne faut pas utiliser le flingue, la détonation le ferait repérer.

Le sang trempe le bas de son pantalon. Le sang tache ses mains. Il faut arrêter de trembler, s'enfuir vers l'arrière-boutique. Son vélo est là, il saute dessus.

C'est huit heures, on est le 25 mai, il fait encore froid le matin, surtout quand on vient de tuer quelqu'un.

III

Le solitaire

1

J'ai trouvé cette cabane au fond des bois. Elle est presque dissimulée par les arbres. J'ai mis mon vélo à l'intérieur en arrivant. J'ai refermé la porte. Personne n'a pu remarquer ma présence. Je dois reposer mon genou blessé, me calmer, réfléchir.

Le mieux serait de passer l'été ici. De laisser les choses se tasser. C'est une bonne planque. En plein causse. Autour, y'a ce jardin, ce que je vois là, depuis la fenêtre. Un jardin, des papillons, des oiseaux… Dis donc, ça change de la ville morte. Au moins y'a les piafs qui chantent, pas ce silence mortel. Et cette forêt… Elle est pas très haute comme forêt, mais elle me cachera bien des drones. Le flic a parlé de drone à un moment de la conversation. C'est flippant, je bloque sur ces drones depuis trois jours. J'avais le nez en l'air quand je suis tombé du vélo. Ma rotule a pris cher. J'ai mal, putain.

Je vais ouvrir cette fenêtre, ça fera partir cette putain d'odeur de renfermé.

C'est vraiment joli ce jardin. Quelle heure il est ? Onze heures. Eh ben, j'ai écrasé. Je vais me fumer une clope…. Putain, plus que ça ? À cause de ce crevard de flic, je vais manquer de cigarettes. Et ce mal de genou que je me tape… En tombant je me suis grave détruit. Je pourrai pas courir si les flics y débarquent maintenant. Où est mon flingue ? J'aurai qu'à me tirer une balle dans la bouche. Mais encore faut-il que j'aie le temps. On n'est jamais tranquille avec ces salopards… L'urgence, c'est de repérer tes exits. Imagine, Jo, si t'entends arriver une voiture de police, là tout de suite, faut savoir par où te barrer.

Arrête de baliser, calme-toi.

…

T'as tué un flic, Jo. Tu l'as buté.

Dire que je pensais qu'avec la Catastrophe, j'allais pouvoir m'en sortir… Je voulais passer en zone sécurisée, je voulais les rejoindre, ces fumiers… Putain, c'était trop beau, la chance elle était avec moi. J'avais sauté du camion. Je suis immunisé. C'est pas rien, tout de même ! Je pensais que je pourrais reprendre une vie normale. Enfin, une vie dans ce chaos, mais enfin que mon casier serait oublié – que tout serait rouvert. Tu parles. J'ai pigé, maintenant. Mon dossier me suivra toujours. Ils savent qu'on est quelques-uns à s'être enfuis lors de l'évacuation. C'est dingue. Ils sont increvables.

Tout fonctionne toujours à Paris, leur force a pas molli, et dans un an, dans dix ans, leurs fichus ordinateurs sortiront encore mon nom. Joseph Kamal.

Je veux plus jamais revoir leurs sales gueules, putain. Ces matons, ces crevards de détenus, ces putains de flics. Je les supporte plus. Faudra que je m'entraîne à tirer, tant pis si ça fait du bruit. Parce que si quelqu'un arrive, là, dans le jardin, je le shoote, ce fumier, ce fumier de mes deux.

Regarde-moi dans les yeux quand je te crève…

…

Ça fait du bien de sortir. Wallah, j'ai mal au genou. Je peux à peine marcher tellement il a gonflé. C'est la jungle ce jardin, mais c'est trop beau. Tant pis, je me regrille une clope… Ah ouais, fallait que je bouge. L'autre, avec son regard de tué, il me fout les jetons.

Tiens, c'est un tilleul qui dépasse au fond. Les tilleuls, je connais. La grand-mère, elle en faisait des tisanes. Avec les petites feuilles à boule, ah ouais, des miniparachutes, on joue… C'était le bon temps, ces vacances à la campagne. Loin de tous ces connards de flics et des crevards du quartier.

J'ai tué un flic, putain, je le crois pas…

Le pire, c'est qu'c'est même pas kiffant. Je suis bloqué ici, du coup, avec cette histoire. Bloqué de chez bloqué.

Tueur de flics, c'est encore plus chaud au tribunal que braqueur. C'est vingt ans de taule assurés. La crème de la crème en boîte. Tonio aurait été étonné que je le surpasse. Ouais, je l'ai crevé de mes mains, ce connard de Super-Keuf Immunisé qui faisait le fier dans sa parka pourrie. Il la ramenait à mort. Je l'ai crevé. Pourquoi tu te prends la tête avec ça ?

Kiffe un peu, merde. T'en rêvais y'a trois ans, ça te venge un peu. Comment la fourchette elle a percuté l'artère. C'était grave dégueulasse. Je l'ai fini à coups de pied, la fourchette a presque dépassé de l'autre côté. Pense pas à ça…

Au début, Joseph vit comme un rat.

La journée, il se terre dans son trou, il dort. S'il se réveille, il fait le ménage dans sa ratière et se rendort. Mais quand le soleil vient à baisser, il s'agite dans son terrier. Il sort dans le couchant, il traverse à pas rapides le jardin. Il va boire. L'eau est éloignée de la maison, il faut trotter dix minutes en descendant. En bas de la faille du causse, il y a un vieux lavoir où l'eau est fraîche.

Il a peur qu'on le surprenne. Près de l'eau, la forêt de chênes s'écarte pour laisser place à de larges pelouses longeant le petit ruisseau chantonnant. Des pelouses fraîches. Il aimerait être un rat d'en bas et non un rat d'en haut. Ce serait plus pratique pour boire.

Il remonte avec ses jerricans pleins. La nuit noircit. C'est son heure. L'heure d'aller fouiller dans les cuisines.

Il trotte dans les sentiers, le long des chemins forestiers, en se cachant sous les chênes, lentement, un rat c'est prudent.

Le plus souvent, il entre dans les maisons par une fenêtre. Il évite les chambres. Il va directement à la cuisine.

Il allume les transistors pour avoir des nouvelles de l'autre Zone. Mais tout grésille, aucune station. Il abandonne. Qu'ils se débrouillent. Peu lui importe ce qui leur arrive, lui doit survivre.

Parfois, il croise d'autres rats. Affamés eux aussi. Il a un bâton, c'est rat contre rat.

Après avoir fureté, inspecté les étagères, emportant de quoi manger, il donne mentalement un nom à la maison. La Villa du Psychopathe (un chasseur), la Maison des Enfants (beaucoup de jouets), la Bibliothèque (gavée de livres), la Petite Ferme (des confitures, de la farine, un potager), la Grande Ferme (nombreux outils, autre potager à arroser)... À force, pour ne pas s'embrouiller, il note dans un cahier ce qu'il reste comme provisions à l'intérieur de chaque maison.

Il est instinctif. Il se jette sur les Haribo qu'il trouve dans les placards.

Il ne s'attarde pas, les maisons ressemblent trop à des tombes. Il rentre avec sa torche électrique, en essayant de ne pas l'allumer trop souvent. Le rat est nyctalope.

Il a faim à son retour. Il mange des pâtes à la sauce tomate, il boit de l'alcool. Il retourne dormir dans son trou. La chambre est petite, et ça lui fait comme un terrier.

Encore une belle journée à rester enfermé...

Le genou, ça va mieux, mais c'est pas encore ça.

Ça fait deux semaines ? C'est le mois de juin.

J'ai dû rater deux trois jours, mais maintenant faut bien que je note tout sur le calendrier.

À qui elle pouvait appartenir cette piaule ? En arrivant, je l'ai prise pour une cabane de chasseurs. Mais avec les fleurs, la déco sur les murs et là les vieux magazines, je me dis que c'était peut-être la maison de vacances d'une famille de végétariens… Ce serait bien le style…

De toute façon, touristes, chasseurs ou végétariens, à l'heure qu'il est, ils doivent s'entasser dans un camp de réfugiés en pleurant pour un sac de riz… J'en ai rien à foutre, qu'ils crèvent tous là où ils sont. Ce sont tous des flics. Des enfants de flics, des femmes de flics, des pères et des fils de putes de flics. Même ici, dans ce causse désert, il y avait forcément un flic, un maton, un juge. Toujours quelqu'un pour te réprimer. Et ces connards de chasseurs sont pas les derniers à former des meutes.

C'est quoi les magazines ? *Paris Match*, *Femina*, vieux *Dauphiné*. Bah, je les connais déjà par cœur. Comme en taule, putain. Je suis kéblo, là. Ce n'est pas la peine de me prendre la tête. Regarde encore la carte… C'est cool qu'il y ait une carte IGN au milieu des papiers, ça me sert bien. Heureusement qu'ils ont entouré la cabane avec un stylo, sinon je serais grave paumé. T'es vraiment au milieu de nulle part. Pas un bled sauf celui-là, Morinte, mais je suis incapable de savoir à combien de kilomètres : dix ? vingt ? Cette planque, elle est en plein cœur de la zone contaminée. C'est la cambrousse, y'a rien, tranquille.

Pas possible qu'ils surveillent une cambrousse pareille. Enfin, avec eux, on sait jamais. C'est tellement des enculés…

Bon, je vais voir ce que je mange à midi. Raviolis, lentilles, cassoulet ? Y'a encore trois boîtes de sardines. Deux bouteilles de vin, des pâtes. Il y a de l'huile et du sel, un vieux paquet de farine. La cuisine est nickel pratique, le gaz, c'est de la balle. J'ai faim. Comme c'est bon de manger tout ça, quand même, tout seul, sans se prendre la tête.

Finalement, ce qui est marrant, c'est qu'y'en a des maisons dans ce causse, quand on regarde la carte on en voit de ces petits carrés noirs. Plus que je pensais. Tant mieux pour moi.

Je peux rester ici, ce mois de juin, je verrai bien après.

Faut juste que je compte les jours. Que je boive assez. Et que je ramasse bien le sucre, le miel, le chocolat, la confiture. Sinon les rongeurs et les cafards vont tout bouffer. J'ai besoin de sucre. Faut rien lâcher.

Les cadavres, on dirait des sauterelles brûlées. Une fois les corps dans un fossé, Joseph cherche la nourriture sur leurs étagères. Il cherche aussi de quoi s'habiller, de quoi se chausser, de quoi se soigner, de quoi lire, tout ce dont un homme a besoin.

Quand il ressort avec son sac à dos rempli, ce n'est plus le crépuscule où il a marché à pas prudents. Il tombe nez à nez avec la nuit immense.

Pour rejoindre la Petite Ferme, près du lavoir, où il y a beaucoup de choses intéressantes, il connaît le chemin par cœur, malgré le dénivelé raide qu'il faut prendre depuis la cabane. Il apprend à se passer des lampes de poche pour que ses pupilles s'agrandissent.

C'est l'immense nuit constellée. Ça sent bon, le soir, à marcher.

Au début, quand la voûte immense le recouvrait, il ne regardait pas les étoiles. Il vérifiait juste que ne se cachaient pas parmi tous les points blancs les diodes rouges d'un drone tueur. Mais au fil des nuits, les étoiles l'ont attiré. Son sac à dos chargé, il revient lentement jusqu'à la cabane, il passe un portillon, c'est son jardin. Il s'allonge, sa tâche du soir accomplie. Il reste à les contempler.

Un ravissement pareil, même avant la prison, il ne se le rappelle pas. Il y avait toujours les lumières de la ville pour entraver le ciel. C'est la première fois qu'il voit les étoiles si nombreuses, comme en liberté.

Les étoiles dominent le causse. Elles voient toutes les maisons pillées une à une, sur des kilomètres carrés, le village de Morinte que Joseph a repéré et où il pense aller bientôt chercher des cigarettes. Les étoiles voient toutes les agglomérations jusqu'à Cahors et Figeac où il ne mettra jamais les pieds. Les étoiles voient par-dessus Toulouse et Bordeaux, par-dessus les deux zones, par-dessus Paris, par-delà la France à moitié décimée, elles savent où est le drone s'il y en a un. Elles savent s'il y a un autre rescapé dans les parages. C'est sa nouvelle idée fixe – un crevard qui viendrait le débusquer chez lui.

Quand il s'allonge dans le jardin, c'est déjà tard dans la nuit. La chouette lance son cri lugubre. Joseph écoute les ombres et les bruits. Les chauves-souris, les ailes froissées, les bêtes rampantes. Il respire l'odeur piquante du thym séché au soleil. Les choses de la nature semblent soupirer en chœur autour de lui, semblent le soutenir.

Comme une arche qui le soulève. Il lui suffit d'attendre un peu et les étoiles se mettent à papillonner. Ça brille plus fort ici et là. Un scintillement, un éclat. Il regarde. Il a mis une couverture sur lui, les odeurs de la journée ressortent, on dirait que l'herbe est torréfiée.

Il plane au-dessus de la voûte étoilée. Comme s'il était sur le rebord d'un embarcadère et qu'il tombait, pour nager entre les étoiles. Et pourtant, en regardant bien, en regardant ce qui brille si bellement, il ne peut réprimer une noire dépression. Il a le temps ici de repenser à la prison. De repenser à toutes ces nuits minables, toutes ces étoiles absentes à son regard alors. Dire qu'ça continue, cet enfer, qu'ça continue même après tous ces putains de millions de morts, ils sont encore là, ces matons de merde, quelque part à sévir…

Le hou-hou de la chouette le ramène au jardin. Il serre son arme contre lui.

Il boit un coup de rhum, il prend une cuillère de Nesquik qu'il laisse fondre sur sa langue.

…

Avec un peu de patience, peut-être que son corps va monter, comme une goutte de rosée s'évapore, peut-être que les étoiles vont le prendre, le soustraire à la gravité, et qu'il pourra quitter cette terre.

Oui, c'est cela. Que les étoiles le prennent, que les étoiles l'aspirent, qu'il sombre dans le ciel.

Emmitouflé dans ses laines, Joseph regarde la fin de l'homme.

Parce que, là-haut, il en est sûr, il n'y a plus d'hommes, enfin.

Il faudrait parvenir à détruire ce monde.

Si les étoiles l'embrassaient, si, sur une fraction de seconde de leur révolution, elles pouvaient le prendre dans leurs lumières, et plus tard, plus loin, le laisser tomber dans un autre pays. Pas un pays étranger, mais un pays parallèle. Où on se réveillerait animal ou plante, où s'échangeraient les peaux comme les saisons passent, où il pourrait se laver d'une pensée comme on nettoie une table ; il suffirait de tendre une main et d'enlever les souvenirs qui font souffrir et qui travaillent.

La nuit vire au bleu clair. Joseph a dormi là, les drones ne se sont pas montrés. Sans doute qu'il n'y en aura pas, qu'il n'y en aura jamais. Les flics, s'ils savaient où il se planque, l'auraient déjà trouvé.

Joseph se frotte les yeux, ouaip, ça veut dire qu'ils ne savent rien. Arrête de baliser.

Le jardin noir se transforme en jardin gris, puis en un gris faible, si faible que l'obscurité semble s'évanouir dans le sol. Joseph voit la nuit glisser sous terre, il voit renaître les herbes couvertes de rosée, les premières couleurs réapparaître. Ce sont d'abord juste des taches, des intuitions de vert et de jaune. Puis le soleil maintenant se lève, la plus grande des étoiles, rétablissant le monde. Il est coincé à l'intérieur.

2

C'est pas drôle d'être tout seul quand même.

Se baquer tout seul, c'est pas fun. On peut se taper des barres avec personne. Peut-être que c'est la chaleur qui me fatigue. Ou c'putain de silence. J'arrive pas à m'habituer. En taule, y'avait tellement de boucan... Là, j'ai l'impression d'être dans le coma.

Chaque fois que j'essaie de lire, je décroche, c'est dingue. J'en ai plus rien à foutre de leurs histoires. En taule ça m'faisait du bien, mais là c'est comme si mon cerveau y sautait.

Déshabille-toi... Il fait tellement chaud aujourd'hui.

Profite du ruisseau.

Va te baigner, force-toi. Ça fait toujours du bien.

...

Kaï kaï elle est froide, putain, ça change pas. Allez, hop, la tête et tout.... Aaaah, ça fait du bien de se laver après c't'canicule. Ça dessaoule et puis ça rend zen. Comme toujours.

Faut pas te faire de bile. Faut laisser passer cet été, te faire oublier. Allonge-toi sur la serviette. Comme si t'étais en vacances. Tu les as bien méritées. Pense à autre chose.

Y'a pas un transistor qui capte quoi que ce soit. Y'a pas une lumière à des kilomètres. Ils sont vraiment loin.

C'est le silence. C'est mortel.

Et encore je suis près de l'eau, au moins ça fait glouglou. Si je ferme les yeux, je vais entendre quoi ? Un ou deux piafs. Ces merles qui me foutaient les jetons au début, comme ils grattent sous les feuilles qu'on croirait des chiens.

De quoi tu t'plains ? T'as les oiseaux, ça vaut bien la conversation débile des lascars.

Qu'est-ce que ça peut me foutre, ce qui se passe là-bas ?

…

Ce soir, qu'est-ce que je vais manger ?

J'en ai marre de leur cassoulet. Putain, chuis pas planqué dans le Lot pour rien, j'en ai trouvé partout de leurs conserves.

Au potager de la Petite Ferme, y'a bien ces courgettes. Mais ce serait idiot de les bouffer toutes en une semaine. Faut que je sois raisonnable et que j'en garde pour plus tard… J'aurai pas toujours des légumes. Les tomates, comme elles étaient trop bonnes… Au pire, des pommes de terre. Ça y'en a. Je devrais même ne pas tout bouffer, on ne sait jamais, je devrais en garder pour…

Faut que je me débrouille pour arroser les potagers des quatre maisons qui en ont. Quelle galère, ça. Pourquoi ces connards ils ont aussi coupé l'eau ? Faut toujours qu'ils empêchent les autres de vivre.

Ces enculés ils ont coupé l'électricité. Tout ça pour qu'on soit forcé de se barrer de la Zone, c'est vraiment des fils de pute. Avec les deux Wii que j'ai croisées, si y'avait eu du jus, pas de souci. J'aurais passé l'été à jouer à la console, et basta.

Là, c'est la misère.

Même pas la radio, ça c'est vraiment dur, n'empêche.

…

Tiens, t'as qu'à jeter des cailloux dans l'eau.

Plouf. Ça vaut mieux que de jouer au Monopoly tout seul… Ou que de faire des réussites. J'ai tous les jeux du monde à disposition, mais même les sudokus j'y arrive pas.

En plus le ruisseau l'est trop petit pour faire des ricochets.

…

J'aurais p't'être dû me planquer dans une ville.

Non, en ville ils m'auraient trouvé, ces connards.

…

Hé, on dirait qu'y'a des poissons dans ce coin. Je pourrais pêcher.

Ouaip, je pourrais… Ce ruisseau, s'il s'arrête de couler, je vais juste crever. Je bois dedans, je me lave dedans, je lave mes slips dedans. Franchement, ce ruisseau, c'est mon poteau. Dommage qu'y soit pas assez profond pour vraiment se baquer plus que pour la toilette. Faudrait creuser, style avec des pioches, pour faire un bassin. Si j'étais pas un gros fainéant, je ferais ça.

Allez, rentre à la maison… Ça va mieux que tout à l'heure. C'est moins l'angoisse. Se laver dans l'eau froide, la tête et tout, ça soigne. Ça marche à tous les coups.

Va y avoir un bon coucher de soleil. Je vais bouffer sur la terrasse.

…

Quel bordel dans cette piaule. Tu pourrais être plus rangé. Tu l'étais, avant. C'est marrant comme tu te laisses aller… Tu fais plus de pompes, tu ranges plus…

On y voit rien ici, allume tes bougies. Ça aussi, ça va être un blème. Personne il a des stocks de bougies de ouf, tu vas en manquer. Faudrait que je passe tout à la lampe torche. Ouaip, que j'en accroche comme des appliques à tous les angles des murs. Ça, j'en suis capable. Quelques clous, ça m'amuserait de bricoler.

…

Bon, c'est l'heure de la popote…

Hop, ma petite table dehors, ça économise la bougie et t'as le spectacle. Franchement, c'est d'la balle ce jardin au soleil couchant. J'ai bien fait de le défricher un peu. Même le merle qui chante, là, j'ai l'impression qu'il me fait du bien.

Hé mec, vas-y, chante, c'est cool, personne va te caillasser ici.

…

Pas la peine de te presser à finir ton assiette. Tu feras quoi après ? Prends ton temps.

Prends-toi un verre, pélo. Y'a que ça à faire.

Putain, une cigarette, je donnerais tout, là, pour une cigarette.

…

La bouteille de vodka elle est presque éclusée… Si j'en bois une en deux jours, faut que j'en ramène une toutes les deux nuits. Calcul simple, boulot simple. Y'a des réserves à la maison de la Maniaque, je crois. L'est où ce putain de cahier où je note tout ? Voilà. Alors, voyons voir. Ma liste de courses, j'en suis où ?… Qu'est-ce qu'y faut que je fasse ? C'est quoi le plan cette nuit ?

Putain, faudrait vraiment que j'aille faire les courses à Morinte pour le tabac et les piles. Mais quand ?

Et s'il y a quelqu'un, là-bas, à Morinte ?

Toute ma cavale serait fichue.

Si seulement je pouvais parler à quelqu'un. Mais parler à qui, putain ? Y'a que Tonio qu'aurait compris. Y'a que maman qui m'aurait fait du bien. Y'a qu'eux. Tous les autres, sûr, ils m'auraient cherché des crosses, ouais. De toute façon, t'as que des embrouilles quand t'es en cavale. Tonio, il me l'a dit. Tu peux faire confiance à personne. Les amis, ça existe pas. Et si t'en avais, là, imagine, au début c'est cool tu causes et tout, tu te tapes des barres, et après les mecs y t'embrouillent, c'est la rumeur, et là t'as juste envie d'dire lâche-moi, lâche-moi, putain.

Wallah, c'est mieux que je sois seul. J'ai trop envie de leur péter la gueule. Y'a qu'à voir comme je kiffe à déchirer leurs photos de merde de leurs familles de merde dans leurs piaules pourries, tous leurs frigos de la mort qui puent, ça me débecte quand je vois leurs sales gueules de gens heureux, pendant qu'moi j'crevais en taule ils s'en foutaient, ouais, ils s'en foutaient…

Allez, je vais chez la Maniaque prendre des piles, puis j'irai à la Petite Ferme pour les légumes.

Si seulement il pouvait repleuvoir. Ça arroserait les potagers.

Il n'y a personne à Morinte. Au village de Morinte où il a fini par se rendre une nuit au début du mois d'août, au bout de la combe du ruisseau. Il y a là trois cents maisons et huit commerces, dont un petit Intermarché. Ça lui assure de la nourriture pour des semaines. Il trouve des cigarettes, il cherche en vain du shit.

Il fouille les maisons, il arpente le village. Il voit la laverie pour les plus pauvres, les bijoux dans leurs tiroirs, le tube de concentré de tomate, les vins de luxe chez les voisins. Il voit au supermarché le planning des caissières avec une pause chronométrée. Les chaises abandonnées.

Putain, c'est glauque.

…

En entrant à Morinte, Joseph a retrouvé la peur. Sur le causse, la peur s'était dissoute. Au village, il retrouve la peur de la société.

Il a observé le village aux jumelles avant d'y entrer. Pas une lumière, pas un bruit, seules la poussière et la mort.

Mais leur ordre est encore lisible. Leur ordre veut survivre même sans eux. Leur ordre résiste. Dans ces panneaux pour faire redouter la morsure d'un chien. Dans leurs Réserve de chasse, Interdiction de pêcher, Attention alarmes, dans leurs systèmes de sécurité. Dans leurs Défense de stationner, leurs portes blindées et toujours, toujours, dans leurs petits panneaux Propriété privée.

C'est l'enseigne la plus répandue entre toutes, la petite enseigne rouge et blanc, Propriété privée.

…

Morinte est dépeuplé, l'Intermarché ouvert à tout jamais. Il reviendra, tout est à lui désormais.

Jo, t'as un Intermarché pour toi tout seul…

Il fume leurs cigarettes, il vole leur argent, il s'intéresse beaucoup à l'huile et aux bougies. Il a une liste de courses, il ramène en priorité lait en poudre, chocolat, riz, pâtes, piles, savon, farine et levure de boulanger pour faire son pain. Il pille sans vergogne. Ce n'est pas du racket, c'est justice, car il sait qu'elle lui doit plus encore, cette société qu'il rançonne.

Il est venu à vélo, l'arme à la main, lentement ; il repart tranquillement, il remonte sur le causse.

Sur le causse aussi, ils avaient établi un ordre, des cadastres. Monté des portiques, des barbelés et des grillages. Dès qu'il y avait un joli point de vue à admirer, il avait été privatisé.

Alors, à la Petite Ferme du lavoir, où il range une partie de ses réserves ce soir-là, quand il trouve une pince coupe-boulons, il ressort et va couper leur grillage. Ce putain de grillage qui l'empêche de rejoindre la ferme depuis le coude que fait la route. Il rompt la clôture. Voilà, maintenant, il ira tout droit à la grange.

Il y a d'autres grillages à couper. Il peut y aller.

Le temps se fait moins chaud, les journées raccourcissent, il marche sur le causse. Il coupe les fils de fer barbelé, partout, des pâturages. Il crée des ouvertures partout où il peut marcher.

Il ne marche plus comme avant, en cambrioleur la nuit. Il marche en plein jour, il marche droit sur leurs jardins et sur leurs champs. Là où il rencontre ces clôtures, il ouvre. Que c'est bon de sentir les fils se briser. Que c'est bon, à chaque fois que les habitants avaient mis un grillage, érigé des limites, d'ouvrir une faille. Il casse à la hache, il brise au marteau, il crie parfois d'un cri court de plaisir quand le bois ou le portail cède. Partout il détache ces putains de petites enseignes rouge et blanc qu'avec un soin mesquin les hommes avaient attachées avec du fil de fer torsadé.

Les arbres ne sont plus des bornes, ils sont libérés de leurs fers. Rien ne fait plus obstruction.

Toute sa vie, il a été éduqué, habillé, noté, discipliné, employé, insulté, encavé, battu – par les autres.

Maintenant, les autres, ils sont morts ou ils ont fui.

Il est seul sur le causse. Il comprend d'où l'eau provient, ce qu'elle fait au relief. Le lavoir où il descend avec ses jerricans. En bas, le ruisseau, les pelouses fraîches qui jouxtent la Petite Ferme. Là-haut, le causse et sa terre toute en cailloux qui a dû avant recevoir des troupeaux.

Il est vraiment seul, aucun drone.

La peur s'efface, une ivresse la remplace.

Les crépuscules sont splendides quand il mange sur la terrasse. Il va vers le tilleul, s'y adosse. Il regarde le ciel. Certains soirs, ces couchers de soleil sont tellement beaux, tellement immenses, que c'en est à peine supportable, ça crée dans son cœur comme une source qui veut s'épancher.

Au fond de lui, alors, c'est une immense vacance. Un long soupir de soulagement, un Enfin seul, vraiment seul ! Il y a les papillons, les oiseaux, les lapins, la silhouette magique d'une biche le soir sur la pelouse. Mais plus aucun homme. La nuit sans moteurs, sans cris. Il n'y a pas d'intrus, il en est sûr.

C'est un repos, un repos avant toute chose.

Il ne sera plus déçu, ni humilié, ni contrarié. C'est terminé, les embrouilles, les commérages.

Tout ce qui s'engrène à plusieurs. C'est terminé. Il est son propre maître.

La peur disparaissant, il regarde autrement autour de lui : le vert.

Vert, verdure, branches, fleurs, fossé. Vieux champs, petites feuilles, herbe courte. Soleil sur plantes, champ sur pierres, lichen sur velours, et vert sur jaune, et taches de rouge aussi.

Un nombre infini de cailloux qui ont été jadis montés en murettes. Les murettes comme des sentinelles pacifiques.

Il regarde la chaleur qui blanchit, effrite les cailloux sous ses mains. Les cailloux couverts par une herbe sèche, une herbe qui sent bon en plein midi. Et là-dessus, ce qu'il préfère, ces chênes courts, griffus, serrés, forts. L'un d'eux a été traversé sans dommage par un fil de fer barbelé. Le fil le traverse au cœur du tronc et ressort de l'autre côté. Il y voit une image de lui-même, toujours vivant malgré ce qui s'est passé.

Joseph se sent grandir. Il se déplie. Il se sent comme ces arbres qui ont grimpé sur les murettes, ils les aiment.

Le vert fait comme un baume.

Maintenant que la peur est partie, il voit beaucoup mieux.

Tout est vert foncé, ce vert pâle sur ce causse. Un vaste poumon, vert cuit et jaune paille de fin d'été. Tous attendent la pluie. Il a mis des seaux dans ses potagers pour récupérer les gouttes.

Il a réussi après une journée d'effort à pêcher un poisson. C'est un repas meilleur que les autres. C'est un repas avec le ruisseau, le sentier, le thym. Il n'a pas osé faire du feu, la peur se niche encore. Il craint le feu pour la fumée qui indiquerait sa présence. C'est pour la même raison qu'il ne tire pas au revolver sur les lapins qui gambadent le soir.

Il jette ses déchets sur une immense fourmilière, près d'un fossé. Il poursuit la coccinelle. Il ramasse le scarabée. Il a récupéré des escargots comme du temps de la grand-mère. Il est content d'avoir un escargot, un scarabée sous une cloche de verre. Même les araignées, il aime les voir passer.

Il regarder son tilleul. Le jardin de la cabane change selon la lumière, selon la manière dont le ciel grossit et se vide sans pleuvoir.

Maintenant que la peur est partie, il voit beaucoup mieux.

3

Dans les failles entre la musique. C'est un modèle nommé Abeille de la marque Sony. Quand elle a le ventre rempli de grosses piles, elle lit les cassettes audio.

Il l'a trouvée à Morinte, en allant chercher des lampes et du lait.

Il appuie sur Play et la musique sort.

…

L'émotion est si forte que Joseph s'est assis.

C'est de l'anglais, il ne sait pas qui, il ne comprend pas, mais c'est une voix humaine.

Dans cette cuisine pleine de poussière, dans ce village, voilà que le silence est vaincu. La musique embrasse l'espace, elle colore les murs de cette piaule de retraités-à-confitures.

Tremblant, Joseph appuie sur Stop. Le silence s'étend à nouveau tel un lac glacé autour de son corps.

Comme d'habitude, il avait d'abord cherché la radio, mais sur l'arc des fréquences, ce n'est qu'une grêle de parasites. Il a mis sur Play.

Une vieille cassette, et une autre architecture autour de lui, son corps oublié, l'effet du valium sans être shooté.

Quand ses battements de cœur se sont calmés, il a mis le poste sur son vélo. Il l'a ramenée dans sa cabane. Elle trône sur le rebord de la fenêtre. Il a ramené du monde ancien ce qui était bon.

Joseph écoute des chansons de rock, le soir du Piaf, du Dire Straits. Il a trouvé en fouillant au village, avec une joie délirante (une joie plus forte que les cigarettes), un carton de vieilles cassettes. Des vieux Led Zeppelin, des Brassens, le groupe Yes, un Beatles. Ensuite il a compté son stock de piles, il les a mises à l'abri de l'humidité. Son Abeille, ce n'est plus possible qu'il vive sans elle.

Dans l'autre zone, ouais, je pourrais peut-être me faire des filles, mais après ?

J'vais pas prendre le risque de m'faire arrêter juste pour ma bite.

Je suis même plus sûr de savoir parler à une femme. Après tout ce temps à m'astiquer.

Faut pas que je pense à ça.

…

D'toute façon, les nanas, c'est des flics en jupe. T'étais où ? Tu fais quoi ? C'est la prise de tête. Elles vont pas me lâcher. Et puis chuis pas beau à voir. J'ai pas envie de me regarder dans un miroir mais je sais que j'ai une sale gueule.

Ici, j'ai pas à m'prendre la tête avec ça.

Les gens, c'est tous des miroirs. Tu passes ta vie avec des miroirs. Les gens ils te matent, ils contrôlent. Ton aspect, les papiers, t'as fait quoi, t'étais où. T'es jamais comme il faut. Je peux pas changer de gueule, changer de passé. Là-bas, c'est impossible.

Septembre rafraîchit.

Le causse ne bouge pas. Ou si peu.

En bas, dans le vallon du ruisseau, autour du lavoir, ce ne sont plus des plaques de chaleur, mais des souffles le matin.

Du marron, du rouge par touches espacées. La forêt autour des Pelouses jaunit. Un arbre laisse aller ses feuilles au milieu des chênes imperturbables.

Autour de la Petite Ferme, Joseph se promène, il s'y sent bien.

Un buisson pâlit, s'argente.

La ferme a l'humidité agréable d'un berceau. Elle a au centre de la pièce une cheminée froide.

Sur le haut d'un rocher, un arbuste rougit, et l'argenté brûle, et tombe, et le sol s'emmousse.

Quelque chose se métamorphose.

J'y crois pas j'y crois pas. Putain y'a un mouton !

Ah ! J'ai eu peur, ce bruit…

C'est un mouton !

Ah putain, il va boire au ruisseau.

…

Vas-y, je m'approche, tranquille.

Il m'a repéré. Eh, c'est pas con un mouton. Hé, t'en va pas ! Je bouge pas, viens viens viens. T'en va pas. T'es qui, t'es quoi ? T'es pas mort ? Non non, reste là.

T'es beau, tout noir comme ça.

Mais qu'est-ce qu'y fout là, c'mouton ?

…

Ah, ça me fait délirer. Oh, sérieux, regarde ce mouton, Jo, c'est le délire.

Ça se trouve, il a faim. Qu'est-ce que ça mange un mouton ? De l'herbe, non ? Du foin ? Bon alors, ça doit le faire. Surtout ces pelouses, ici, en bas, elles ont pas cramé grâce au ruisseau.

Il doit avoir soif, p't'être que là d'où il vient tout a séché. Il a fait tellement chaud.

Je m'rapproche.

Putain, il se casse…

Oh pis merde, j'vais pas courser un mouton. Il a quatre pattes moi j'en ai deux.

Bon, assieds-toi et mate. Pécho tes jumelles.

Sans déconner, c'est lui qui revient maintenant.

Ah, il est trop mignon, il me fait délirer avec sa tronche. Eh, il a un truc dans l'oreille gauche, un numéro, c'est pas un mouton sauvage.

T'es con, ça existe pas un mouton sauvage. Ce doit être un mouton de la Petite Ferme. Ça m'étonne. Ici, j'ai bien fait le tour, y'avait des chevaux pour les promenades. Ils sont morts, y'a encore un vieux squelette dans le champ là-haut. Les poules, y'en avait mais les renards les ont bouffées sûrement… Le mouton… Le mouton il a dû survivre. À moins qu'il vienne de plus loin.

Ça me fait bizarre, n'empêche. Pourquoi je l'ai pas vu avant ? Il doit m'entendre descendre de la cabane et se barrer avant que j'arrive.

C'est joli à regarder un mouton. Il est marrant avec sa queue qui bouge. Marrant, il a une tête blanche et pourtant de la laine noire.

Un mouton ça mord pas, c'est pas comme un chien.

Faut que je l'apprivoise, cette bestiole, ça me ferait d'la compagnie.

Ah ouais, le délire ! Comme ça m'met en joie. Pire que la première fois qu'j'ai pu rebouffer du Nutella au supermarché.

Chocolat, je vais l'appeler Chocolat…

T'as un mouton, Jo, c'est bon ça, c'est trrrop bon.

Je vais le nourrir, je vais le garder. Je vais l'apprivoiser.

C'est trop bien.

Alors, à cet instant, il se met à pleuvoir.

Comme par magie, la lumière change. Surpris, les merles s'envolent au ras des buissons. Les arbres bruissent et étendent leurs branches. Le mouton se met d'instinct à l'abri.

À cet instant, Joseph est parfaitement conscient de lui, de son corps posé sur cette murette, de la tension dans ses doigts pour maintenir les jumelles à hauteur de ses yeux. Il regarde encore le mouton qui, comme hier soir, est venu boire au ruisseau.

Il sent sur sa cuisse le choc minuscule d'une goutte que la toile de jeans absorbe, comme un doigt moite qui appuierait sur la peau. Une douce fraîcheur souffle sur son cou. Une vive odeur d'humus sort de la terre d'un seul coup.

Le mouton est parti, mais il a mangé le reste de pain que Joseph lui a sacrifié. Il faudra trouver autre chose de moins précieux pour l'apprivoiser.

La pluie ne tintinnabule plus, elle gronde, régulière, musicale, sobre. Les herbes luisent, les herbes sont secouées. Joseph reste à respirer l'odeur extraordinaire. Les cailloux eux-mêmes boivent l'eau qui tombe, tout exhale un soupir de contentement. Il est là, sans pensée aucune, les doigts sur sa barbe qu'il laisse pousser. C'est une sensation de tranquillité profonde, celle qu'il a toujours désirée, car il a toujours été un homme calme.

Il n'est pas dans un pays étranger, mais dans un pays parallèle.

Un monde sans ces hommes et ces femmes-ci.

Un monde de chênes et de pins, un monde qui griffe, qui chante, qui cailloute et cogne avec le soleil, un monde qui bruisse sous l'eau, et maintenant broute. C'est dans la grande Zone du contre-monde, son Domaine à lui.

4

Dans le domaine, il y a des mesures. C'est le pas de l'homme, la roue du vélo. Les mesures conduisent aux limites. Ce ne sont pas des frontières nettes, seule la peur signale quand elles sont franchies.

Les merles le voient souvent marcher entre ce qu'il appelle la Cabane et la Petite Ferme, près du lavoir.

Joseph connaît maintenant les courbes de ce causse où même en automne les chênes retiennent leurs feuilles. Son regard suit les lignes de cette mer verte. Il comprend les clairières comme d'anciens pâturages. Sur leurs berges un radeau cassé : un râtelier pour des bêtes mortes. Il arrive à en ramener un pour Chocolat.

Il a pris la décision de rester là. Au moins pour le mouton, quelques mois encore.

Pour l'instant fait pas trop froid, ouais…

J'ai de quoi bouffer. J'peux m'en sortir.

Alors, avide, curieux, il a cherché sur vos étagères les livres qui donnent les mots. Il veut apprendre les manières et les règles du causse – il se plonge dans les livres, s'intéresse aux manuels modernes et aux images anciennes, aux légendes et aux herbiers, aux savoir-faire dont il a besoin.

Puisqu'il doit rester encore un moment, il est bon de dire «plateau calcaire», «chênes verts», «filet anti-chevreuil» (et non plus biche), «bois de chauffe», «pinson» (et non plus moineau). Les routes noires et les routes de poussière qu'on dit forestières, et mille bergers soulevant les pierres. Il reprend vos mots, «Grès bas» où il a la Petite Ferme où s'installer, «Grès haut» où était la Cabane qu'il quitte. Il renomme la source près du lavoir la Fontaine Claire, puisque c'est son nom – il occulte seulement le nom des gens.

Il découvre en lisant à la bougie d'autres catastrophes, d'autres guerres intimes qui avaient jadis détruit les murettes, d'autres catastrophes venues d'autres machines. Le père et le fils dînent à la même table, un souffle passe et le fils est enlevé. De très anciennes mines, des pierres érigées pour un dieu passé. Il apprend les déficitaires troupeaux de moutons piétinant cette terre où il ne semble pousser à l'infini que des cailloux, des cailloux, des cailloux calcaires.

Ces cailloux avaient désespéré les hommes bien avant la Fissure.

Au Grès bas, dans la faille du causse, il y a du vert pourtant. Quelques meilleures terres, les Pelouses, naturellement irriguées. Plus que les potagers, qui donnent des ressources, le mouton lui a montré l'intérêt de ces terres où on peut brouter même en automne.

Joseph s'est donc installé dans la Petite Ferme. Il a déménagé ses affaires. Il a sorti de la chambre un matelas qu'il a mis dans le salon-cuisine. Il a gratté le moisi de la terrasse, remis en état la cuisine, disposé les chandeliers et ses lampes torches aux murs, il s'est assuré des bouteilles de gaz du voisinage. Il a décidé que la ferme serait sa maison.

Il a pêché des truites qu'il met en élevage dans le lavoir, il place des collets pour les lapins, maladroitement. Dans le potager, une courge attend son vouloir.

Joseph reconsidère les herbes sauvages. Certaines sont comestibles.

Tout ce que les cailloux donneront de bon, il le trouvera.

…

Joseph a fait un plan de son Domaine. Sur un grand papier. Il a dessiné la maison, la grange, l'appentis, les maisons des voisins, les champs et la forêt basse qui murmure autour du dessin. Le ruisseau en bleu comme une veine. Hors du dessin, Morinte comme réserve d'alimentation, réserve du passé aussi.

Il a pris cette décision de rester encore. L'automne s'installe. Où partir sinon vers son crime ?

Il a fait ses comptes d'alimentation. Le supermarché lui donnera de quoi tenir.

Il a mis au propre ses « cahiers de voisinage ». Il a une liste de courses pour les mois à venir. Toujours les mêmes (conserves, bougies, huile, papier, livres, piles, boîtes, jeux, graines, et, si possible : instrument de musique). De ce qu'il doit rationner (farine, alcool, huile, sucre). À la Petite Ferme, il aménage.

Il vit maintenant du lever au coucher du soleil, comme doit faire un homme. Dans la forêt qui le regarde, les chevreuils le préfèrent ainsi.

Quand on suit le ruisseau depuis la Petite Ferme, le cours s'élargit en aval jusqu'à devenir, cinq kilomètres avant Morinte, une petite rivière où il serait bon de se baigner s'il avait le temps. La lumière du soleil s'y reflète en taches d'or. Joseph a découvert que le ruisseau s'appelle la Laure, en souvenir de ses éclats dorés peut-être – il aime ce nom.

À travers les arbres qui longent la route, la Laure brille, encerclée d'arbres qui s'effeuillent en rouge et jaune.

Quand il est reposé, il remonte sur le vélo.

Depuis son déménagement, Morinte a été dix fois revisitée et pillée. Pourtant aucun plaisir à cela. Le village est semblable à un décor de jeu vidéo aux façades aveugles. Joseph garde son revolver serré dans sa main. Il n'arrive pas à se défaire de la peur des rats. Il trace des croix sur les portes des maisons visitées. Et ces X sur les façades rendent encore plus sinistre ce qui reste du village. Puis il entre dans l'Intermarché et le bar-tabac.

Joseph préfère «faire les courses» en journée. Le domaine s'arrête ici. Morinte en ferme l'entrée. Il faut charger la carriole, puis remonter le cours du ruisseau. La peur disparaît comme la Laure s'affine.

Joseph veut vite rentrer. Chocolat va revenir à la tombée du jour, il veut être là pour le retrouver.

Au passage, à ce qu'il nomme la Ferme aux Chèvres, il prend un autre sac de maïs. Le mouton a préféré ces grains aux autres offrandes proposées par l'homme pour l'apprivoiser. Joseph pense au mouton, ça l'aide à pédaler avec la carriole chargée. Le mouton, ses petites cornes, son museau laineux comme des rouflaquettes, ses pupilles horizontales comme un trait d'union. Chocolat revient le soir, ponctuel, il trotte avec bonheur vers le seau de maïs que l'homme lui a préparé. Le mouton hésite à le faire berger. En a-t-il l'étoffe ?

C'est Chocolat qui a donné à Joseph des habitudes.

Devant cette bête si forte, si vivante, Joseph pose un seau de maïs. Cette friandise attire la bête. Quel beau mouton ; ses dents qui grignotent. Quelle bête ronde, comme elle est vivante.

D'abord la silhouette qui sort du sous-bois, puis il reconnaît la large tache blanche sur le museau, la laine brune, les taches plus claires sur ses pattes. L'homme lui parle, Chocolat a l'air d'aimer ça.

L'animal reste un moment à brouter. Joseph se sent calme. C'est bon d'être avec lui.

Le soleil referme la petite vallée de la Laure. Il est rentré juste à temps. La brume s'élève, des chevreuils peut-être passeront au fond.

Joseph espère. Peut-être qu'un jour, Chocolat va rester près de lui. Il ignore ce qu'il fait le reste du temps. Car Chocolat s'en va deux fois par jour, et deux fois par jour revient.

Et voilà, le mouton est reparti derrière la clôture ouverte.

Il ne doit pas être loin, pourtant.

…

La nuit s'installe, le froid le rappelle à sa fatigue. L'homme rentre dans sa maison.

En répandant le soir la lumière, la lampe répand la confiance.

Joseph prend un cahier, il raye les réserves rapportées. Il inventorie sa « pièce des stocks » derrière la cuisine. Bientôt, le grand aménagement d'automne sera terminé.

Là-bas, au bout de la Laure, Morinte s'oublie. Dans le bar-tabac la poussière recouvre les mégots. Les journaux restent par terre. Morinte s'endort sous les feuilles mortes. L'ancien ordre s'effrite, l'ancien temps a été tué, l'ancienne branche séculaire de leur temps, la Catastrophe l'a brisée. Sans doute était-elle trop vieille pour se défendre, Joseph ne s'en étonne plus. Ce qui l'étonne, c'est d'avoir si vite oublié le monde des hommes, et qu'il poursuive si tranquillement une autre branche temporelle, une branche neuve, libre et singulière dans laquelle, quand il éteint la lumière, comme par magie, il va disparaître.

Jamais ses mains n'ont été si puissantes.

Tout ce qui arrive naît de ses mains. Une porte repeinte. Les meubles changeant de place. La grange remplie de foin. Les réserves rapportées, triées. Le choix dans ses habits. Les derniers soins du potager.

Le Domaine n'est plus l'exil, c'est sa propre terre.

Le bon couteau, la bonne assiette, les bonnes chaussures, la cuillère, la gamelle, comme jadis son téléphone : ça fait partie de lui à l'extrême. Il est le maître des outils, le maître des bêtes vivantes, des pièces.

Il ne demande rien à personne. Il peut tout faire.

…

Ce soir, j'me tape la courge. J'vais m'manger ça pendant deux jours, en soupe, ce sera très bien.

J'peux tout faire ici, faut juste pas qu'j'me blesse en bossant.

Au fond, c'est pas ce que j'ai toujours voulu ? Vivre à la campagne, avoir un chez-moi. Maintenant j'y suis. Ces pelouses, cette ferme, c'est chez moi. Gratuitement. Et si je veux peindre en doré l'entrée, je le fais.

Il est vraiment bien ce pinceau. Rien de mieux qu'un peu de peinture sur bois pour se sentir bien…

Après Chocolat, bien sûr. L'était gentil aujourd'hui. Il a bêlé, j'adore quand il bêle... C'est trop mignon. Le mieux c'est pas de l'approcher de trop près. Mais lui faire attendre son maïs, ça c'est drôle, ça le fait réagir. J'adore.

...

Grouille avec ton pinceau ! Dans une heure fait nuit...

Je suis le chef. Je repeins la porte en doré si ça me chante...

J'aurais dû bazarder ailleurs les télévisions, quand même. Ici, près de l'entrée, ça fait moche. J'étais énervé quand je les ai jetées. J'ai qu'à mettre des pierres par-dessus... c'est pas c'qui manque ici.

Au fond, y'a rien de plus normal que de repeindre quand on s'installe. Bon, repeindre en doré, ça fait un peu pédé. Mais si j'en ai envie, pourquoi je le ferais pas ? C'est ma ferme après tout, je fais ce que je veux... Je veux des couleurs, j'en ai soupé du gris... Et même, pourquoi tu t'prends la tête ? Si t'as envie de jeter les télés dans le fossé, rien à battre. Tu fais ce que tu veux.

Ouais, y'a rien d'extraordinaire à être resté là. N'importe qui de malin il aurait fait pareil. Surtout les vieux. Ils vivaient bien sans électricité, et ils ont survécu avec leurs fermes dans le temps. J'ai mieux qu'eux. J'ai de la musique, des piles, de quoi manger. Je bouquine un peu des bédés, je repeins, je bricole... Quand j'aurai réuni le matos pour me construire une bonne douche avec un système de chauffe de l'eau, ce sera top cool...

Je suis pas fou, non, je me sens bien.

C'était ça le bon plan. Y'en a d'autres qu'ont dû piger. Même sans électrac à se cailler le matin, le truc à faire, si on n'est pas mort après la Catastrophe, c'est bien de rester là, dans la Zone interdite. De se servir dans les magasins et s'faire oublier. Repeindre son petit paradis aux couleurs qu'on aime. Ils me font marrer, Zone interdite… Tu parles, la Zone libre, c'est celle-ci. C'est là-bas qu'on n'a droit à rien…

Putain ! Un lapin là-bas… Un deuxième !

Faudrait vraiment que j'arrive à les pécho – ils me narguent… Comment ils font pour esquiver mes collets ?… Ça m'épate. J'en ai posé dix, sérieux ça devrait quand même marcher à force. Le premier que je chope, s'il est vivant, ça va être dur de ne pas le bouffer… Mais c'est plus intelligent d'en faire de l'élevage. Y'a des clapiers. Les gaver d'herbe, et quand ils sont bien gras, te servir – crac. Vu comme ça se reproduit, ces bêtes-là, j'aurai ma viande sans tirer un coup de feu.

Ouais, j'ai pas envie de me servir du flingue… Un coup de feu, ça porte trop loin. Ça craint. Si un autre connard de rescapé s'ramène, y va me prendre la tête.

…

Putain, t'as de la peinture jusqu'à l'aisselle… Bonjour l'eau qu'il va falloir pour te laver… Tu vas jeter le pull, Jo.

Faut que je fasse gaffe quand même. Ce pantalon, je l'aime bien, faut que j'en prenne soin…

…

Le grand-père il faisait ça, nourrir les lapins. Je me rappelle même qu'y fallait pas leur donner d'importe quoi. Les clapiers, ils sont prêts, je les ai nettoyés, y'a plus qu'à les remplir.

Voilà, c'est bien ce doré, c'est beau… Ça m'éclate, sérieux, ça m'éclate ! Je suis le roi du monde avec cette porte dorée. C'est Versailles !

Quand j'aurai un premier lapin et que mes truites voudront bien faire des enfants, je serai autonome en protéines. J'ai encore des carottes, je suis bien. Au printemps prochain, je ferai un mégapotager.

J'y arriverai, ouais, pourquoi pas ?

Si tu peux tenir cet hiver, mec, t'es le roi du monde.

Allez, va te changer, bazarde tout dans la grande décharge, et va bouffer. Ce soir, c'est couscous en boîte.

Il a établi un rituel pour la musique.

Le lundi, c'est AC/DC.

Le mardi, c'est chanson française, Piaf et Mouloudji.

Le mercredi, c'est Dire Straits, Led Zeppelin, les chansons portugaises.

Le jeudi, Yes et les Beatles.

Le vendredi, encore les Beatles ; le soir, Iron Maiden avec un verre de rhum.

Le week-end, il dort. Puis il passe Bob Dylan, le *Spécial Disco Années 1980*, Supertramp, Toto.

Le dimanche, il essaie de moins travailler, il se donne le droit de boire une bière.

Il sait que trouver des cassettes audio, ce sera de nouvelles voix, comme une conversation possible. Elles sont tellement importantes, ces voix qui du matin jusqu'à la nuit chassent le silence sans rien demander en retour, sans faire d'embrouilles.

Au coucher, il glisse dans l'Abeille la cassette du jour suivant. Au réveil, il appuie sur Play.

Chaque jour il se donne une tâche précise. Compter les réserves et inventer des repas, étudier le jardinage pour les mois à venir, défricher et nettoyer, lister les outils, ranger la pharmacie, rassembler les graines pour le printemps, lire, laver ses vêtements, faire les plans d'une douche à eau chaude.

Tous les matins, avant de manger, il va courir le long de la Laure. Ou, pour varier, il remonte à la Cabane, allant chercher le soleil. Il relève ses collets, toujours rien. Il cherche à comprendre. Savoir faire du pain lui a pris des semaines. Il est tenace.

Ouais, j'ai la *mentale*, j'vais leur montrer.

Le temps des apprentissages a recommencé.

…

Il a cueilli des pommes sauvages, elles étaient acides. Il les fait cuire avec un peu de sucre, ce n'est pas bon mais il se force à manger cette compote pour éviter les carences.

Quoi qu'il arrive, il maintient le footing. Il fait ses pompes.

Il ne doit pas changer l'ordre des cassettes. Sinon tout se désagrège. Il faut tenir cet ordre comme il faut dresser son corps. Et quand résonne *À quoi ça sert l'amour ?*, il remonte la couette, car cela veut dire cette putain de corvée d'eau. Huit jerricans à remplir. Joseph les met dans la brouette et va faire un premier chargement à la Fontaine Claire. Au début, il faisait bouillir les litres qu'il buvait. Fin octobre, il arrête cette opération. Il doit économiser le gaz.

Au Domaine, le calcul, ce sont des équations simples. Le causse est l'école. On compte avec le soleil et le froid, avec l'eau. Les nombres sont des bougies, des allumettes et les briquets qui comptent pour dix. Le mouton est le mouvement du grand balancier.

Le mouton est la petite aiguille qui tourne avec calme, l'homme est la grande, qui s'agite.

Puis vient la nuit noire, noire à l'infini. Reste une lumière au cœur de la pièce. L'homme veille. Il pourrait faire du feu, mais il lui reste de votre monde la peur des signaux que fait la fumée, une peur ancienne qui demeure en lui.

Le mouton a dévoilé où était le centre du causse.

Le joli mouton. Le beau bélier noir. Son allure pacifique, son côté trapu. Sa manière de boire à la Laure en s'approchant timidement. Sa laine en lambeaux sur son corps, sa laine courte sur sa tête longue. Et ses deux oreilles qui tressautent sur le côté de façon rigolote. Les mouvements vifs, réjouissants pour le cœur de l'homme, de ce corps animal. Un autre corps près de lui.

Le voir déclenche une onde de joie, et immédiatement après, un repos comme il n'en a pas connu depuis des années. Joseph détaille Chocolat. Il est fasciné, d'une fascination calme, par sa manière de brouter, de choisir les herbes, de les ruminer tranquillement, comme si de rien n'était.

Du point de vue de Chocolat, que s'est-il passé ? Un matin, le couple de paysans de la Petite Ferme – ce couple que Joseph a vu sur les photos aux murs – a disparu. Le bélier a dû attendre, avec d'autres bêtes, qui se sont fait depuis dévorer ou se sont enfuies. Ces photos montraient toute une ménagerie, poules, oies, des chevaux devant lesquelles une femme brune souriait. Joseph a regardé longtemps ces images avant de les déchirer.

D'autres jours, il se demande si Chocolat vient d'une ferme plus éloignée. Il imagine le troupeau abandonné, les bêtes se dispersant en sautant la barrière, puis qui s'égarent dans le grand désert du causse. Il y a des dangers pour les moutons, des prédateurs, des trous, va savoir.

Chocolat a survécu, marché, brouté, avant de venir boire au ruisseau. Il est un rescapé, lui aussi.

Le mouton s'approche. Joseph lui tend son maïs. Chocolat glisse le museau avec plus de confiance chaque jour dans le seau, croque les grains. Sa tête ressort du seau, son contentement est si visible que l'homme en sourit. Ses dents broient bruyamment le maïs sec. L'homme se réjouit. Il voudrait caresser le pull de sa laine, lui tâter le ventre, lui couper la laine qui pendouille. L'homme rêve de complicité, il imagine un jour lui tirer la queue pour le taquiner, et le mouton le poursuivre en bêlant gaiement.

Ce sont les moments heureux, au matin, au soir, de sa survenue. Puisque Chocolat revient, c'est qu'il y a un matin, c'est qu'il y a un soir.

Il rêve d'un jour lui ôter le bout de plastique numéroté qu'il a dans l'oreille gauche.

Hein, je te ferai ça, mon pote. J't'enlèverai c't'affreux numéro…

Si Joseph reste immobile, le mouton consent à brouter près de lui, parfois jusqu'à midi.

Le mouton et l'homme s'attirent l'un l'autre, mais lentement. Puis Chocolat, d'un coup de sabot, se réfugie dans le sous-bois.

Où tu vas pioncer, mec, sérieux ?

…

La Petite Ferme est entourée d'un sous-bois épais. Des arbres frêles y sont par centaines léchés de mousses si épaisses qu'elles se décrochent en formant des algues qui semblent alors remonter. On croirait marcher dans des fonds marins tapissés de feuilles qui datent d'automnes précédents. Joseph pénètre dans le sous-bois à son tour, entrant dans des grottes de silence plus profond au cœur du grand silence vert. Ce n'est pas un lieu pour l'homme. Joseph y voit des traces de chevreuils, des empreintes noires, il suit son espoir – son désespoir. Car depuis deux jours Chocolat ne s'est plus montré. Joseph est parti dans le sous-bois à sa recherche.

Qu'est-ce que j'ai fait ?

C'est pas ma faute ! Pourquoi il est pas venu hier ni ce matin ?

Est-ce qu'un loup l'a bouffé ?

Ça se trouve y'a des loups. Ou des putains de chiens errants !

J'aurais dû y penser avant… Tout le monde a les crocs, et moi je fais comme si tout le monde avait l'Inter de Morinte pour cantiner.

Ne flippe pas comme ça. Y va revenir. Tu vas l'retrouver. Ça se trouve c'est la saison des amours… Il est allé niquer. J'y connais tellement rien en mouton, faut vraiment que je trouve une ferme, une ferme à moutons et que j'aille y prendre des livres.

T'as déconné. Y'a plein de trucs à savoir.

Faut que je me renseigne sérieusement. Chuis trop con, j'aurais dû étudier la question. Quel demeuré je fais ! À quoi ça te sert de lire des trucs sur les potagers et d'amasser des graines ? T'as bien le temps ! C'était le mouton le plus urgent !

Je vais me paumer si je flippe comme ça… Faut pas que je me perde, faut pas.

Tu vas faire comme le Petit Poucet, mais avec des branches coupées, ça sera des repères.

Pourquoi je ne l'ai pas attrapé ce con de mouton ? Ça fait plus d'un mois qu'on est copains. Y'a deux jours il m'a mangé dans la main… J'étais tellement jouasse. J'aurais dû lui mettre un licol et le pécho. Quel con.

Ça se trouve il est malade. Ça doit exister des maladies de mouton. Ça se trouve il est dans un coin à souffrir, misère, ça me fait mal au bide rien qu'd'y penser.

Ou il s'est fait maraver par d'autres. Par les chevreuils ? Ça se bat avec des moutons, ces grandes bêtes-là ? P't'être qu'il est tombé dans une crevasse.

Ah ! Pitié, je supporterais pas qu'il soit mort, non non non. Dieu, mon Dieu, si y'a un dieu, faites que je le retrouve ! Je promets j'arrête la branlette pendant trois semaines…

Wallah, s'il meurt ou quoi, je sens que je vais craquer.

En tout cas s'il revient, je l'attrape, je l'enferme.

Il passe toujours par le même chemin. Faut que je refasse la clôture du champ… C'est du boulot mais c'est pas infaisable. Il reste un côté encore debout. J'ai qu'à le laisser venir et pendant qu'il bouffe son maïs, je referme l'entrée, je le coince.

Oh là là, mais ça mène nulle part ce sous-bois de dingue, je suis revenu sur la route. Quelle misère.

Reprends ton souffle.

Putain j'ai froid… C'est la zermi.

Je vais craquer.

Où il est ce con ?

Chocolat ! Chocolat !

…

Le mouton est revenu le cinquième jour.

Joseph, pendant ce temps, a refait les clôtures, dix heures par jour, jusqu'à épuisement, et quand Chocolat veut repartir, il ne peut pas.

Dans le Domaine, quelqu'un de nouveau dit : Tu m'appartiens.

…

Désolé, t'es enfermé, Chocolat. T'avais qu'à pas fuguer. En plus, tu t'es cassé une corne, tu crois que j'le vois pas ? T'as dû tomber la tête dans un fourré, ou te battre… C'est pas bien, mon pote.

Ici tu seras mieux. Je vais prendre soin de toi.

…

Regarde, pendant ta fugue, j'ai trouvé plein de trucs à la Super Big Ferme après la Bibliothèque. J'ai marché quatre heures pour la trouver. C'est peut-être de là que tu viens. J'ai pris des livres sur les *ovins*. Je vais potasser ça, j'serai aux petits soins.

Regarde ce que j'ai ramené pour toi : du sel en bloc. Ça pèse une tonne ce truc. Tu devrais aimer, y'a marqué dessus que c'est pour toi. Allez, je te le mets par terre.

…

Putain, direct !!!

Comme il te bouffe le bloc de sel ! Sans déconner, si j'avais su !

Alors, mon beau, t'es content ? Tu veux bien rester avec Jo ?

T'inquiète pas, j'vais m'occuper de toi… J'ai compris maintenant. Je vais te donner du foin même si je dois me casser le dos pour en trouver.

Je ferai tout pour que tu te sentes bien avec moi. J'ai eu grave peur ici sans toi.

Sérieux, c'était l'horreur.

Mais maintenant t'es là, t'es là. C'est bon, oh c'est bon de te revoir.

Je t'aime, Chocolat, tu me fais kiffer, on va se tenir chaud. Tu vois, ici, c'est ton champ. On peut dire le champ n° 1. Ou le Champ du Ruisseau, si tu préfères. J'en clôturerai un autre derrière la bergerie quand t'en auras marre.

J'ai cogité, tu sais. Si toi t'as survécu, y'a sûrement d'autres moutons ailleurs. J'vais les retrouver, je vais te ramener une brebis pour que tu niques. Je vais m'occuper de tout ça.

Mais reste avec moi. Dehors y'a des chiens, y'a des fossés, tu peux tomber dans des grottes… Dehors, ils sont méchants, ici tu seras bien.

…

Qu'est-ce que t'as, tu trembles ? T'as froid ? T'as de la laine sur le corps, pas moi.

Moi, j'ai froid… J'ai faim. Je devrais aller manger, maintenant que t'es revenu. Ça fait deux jours que j'ai l'estomac noué.

Et je devrais faire du feu. Tant pis pour la fumée. Arrête de flipper. Aujourd'hui c'est fête. Je vais faire du feu ! Mon mouton est revenu !

On est quoi ? Le 1er novembre ! Voilà, c'est la fête du Mouton, c'est Aïd sans le bouffer, j'aime ça. Ah ouais, j'aime l'idée ! Grave. On n'a qu'à dire que c'est la fête à Chocolat !

Au Domaine, il y a une place pour chacun. Il suffit d'écarter les pierres.

Les pierres montrant la voie à l'eau, creusant la terre aux vers, creusant le causse au vent. Les pierres qui s'enfoncent à travers la terre.

Au Domaine, il y a des soirs de fête où un feu crépite et réchauffe et il y a des soirs tristes où le cœur se glace. Comme une murette à reconstruire pour se séparer définitivement de l'autre monde. Où les pensées s'enfoncent pour souffrir, vers le pays d'origine, là où l'automne rendait mélancolique.

Joseph pense aux branches du temps qu'il n'a jamais prises, branches en forme de bras qui s'ouvrent, en forme de croix, souvenirs de femmes qui l'ont fait souffrir.

Quand la terre est enfoncée dans la nuit, si l'homme veille, il y a ces soirs où le crime refait surface. Il revient, sans définition. Ramené par le vent séchant ses vêtements, ou dans la vaisselle quand la fourchette tourne à l'arme du crime.

Si c'est le matin, il faut courir jusqu'à épuisement.

Ce n'est pas qu'il regrette son geste, non, qu'ils aillent tous se faire mettre. Mais il aurait préféré que ça n'ait pas lieu. La sensation sur sa peau, le geste, la couleur du sang. Alors Chocolat l'aidera, comme ce matin dans le box, lorsqu'il a pu toucher sa laine, enlever enfin le numéro sur son oreille, et en garder un peu de suint gras sur sa paume. Il a besoin de Chocolat pour oublier le dernier homme, son air surpris.

Mais si c'est le soir, si le mouton dort, si la fourchette tremble dans sa main, il ne faut pas veiller. Les veillées ne valent que si elles sont douces. Si c'est pour veiller comme un criminel, autant dormir comme un mouton brave. Autant dormir maintenant.

5

La nuit tombe. Le ciel s'est obscurci, les feuilles des branches se mêlent et le sol s'engloutit. Les rouges-gorges se plaignent du retour de la chauve-souris.

Alors la Laure glisse en chantant plus fort. Les grenouilles sortent de terre, leurs peaux brillent. Un tronc ressort du cours, une belette vient le franchir, boit l'eau.

La nuit prend le domaine, l'homme dort. Le mouton est assis dans la paille.

Le vent s'engouffre sur le causse, des odeurs charriées se répandent dans l'obscurité. Le vent s'engouffre, les souris baissent les oreilles. Les renards remontent des traces. Le grand-duc, si c'en est un, ouvre la chasse.

Il n'y aura plus jamais de phares, plus jamais de cris, de moteurs s'opposant à la nuit. Le noir s'étale.

La terre respire, les bêtes chassent. Des griffes fouillent la terre et des becs grattent. Sous la masse, ça martèle et creuse. Les pas du sanglier font craquer les branches. La genette laisse derrière elle des excréments noirs.

Les arbres sont heureux de s'enrouler autour des oiseaux.

Quelque chose s'arrête.

La lune a accompli l'arc de sa lumière. Le noir remonte jusqu'à la cime des pins. Le vent s'apaise. L'humus est dévoré par des millions de bouches microscopiques.

Des souffles seulement.

Ce qui se sent, ce qui se touche. Rien ne se voit.

Les petits espaces deviennent immenses.

Et quand tout est froid, entièrement calme, les derniers pas du blaireau vers son terrier.

Alors une clarté qui blesse le noir. Les cimes ressuscitées des grands pins là-haut.

La pointe du soleil.

Une gelée qui blanchit l'herbe.

Le rouge-gorge est le premier levé. Il vient frapper à ta fenêtre.

Combien sont-ils dans le domaine ?

Le mouton attend que l'homme lui ouvre la porte. Il attend celui par qui revient la lumière. Par qui commence la journée dans le champ, et par qui le maïs est donné. Le mouton semble trouver bon d'être gardé par un homme. Il ne s'est pas enfui. Il secoue doucement sa laine sans sentir le froid.

Les oiseaux répondent au premier soleil. Ils se suspendent autour du grand lierre du muret. Ils s'accrochent aux herbes qui s'accrochent au mur. Ils piaillent pour demander des miettes et les quelques graines que l'homme leur donne en partage. Les oiseaux sont le mouvement dont l'homme a besoin. Même s'ils fuient en rasant la terre quand il ouvre le volet, comme fait le merle, ça le rend heureux.

Combien sont-ils ? Ils sont des dizaines. Sans compter la buse qui tourne inquiétante au-dessus des passereaux.

Le rouge-gorge se pose toujours le premier sur l'appui de la fenêtre. Il se retourne tout de suite pour regarder en arrière. Par de petits sauts, il va à l'autre bout de la pierre. Il vérifie encore qu'aucun prédateur n'approche. Il se poste à l'angle opposé. Joseph le voit jeter de nouveau plusieurs coups d'œil inquiets. Il picore enfin. Il se relève, inspecte à droite et à gauche avant de picorer de nouveau. Jamais il ne relâche sa surveillance.

La mésange charbonnière est plus rapide. Elle vole une graine sur la pierre et se renvole. Perchée sur la branche d'un chêne, elle la coince entre ses griffes et l'attaque de son bec. Son tambourinage émet un léger toc-toc-toc.

Si deux rouges-gorges se rencontrent sur la mangeoire, ils se battent. Mais quand la mésange charbonnière arrive, le rouge-gorge la tolère. La mésange bleue fait fuir la charbonnière.

Joseph est heureux d'avoir appris leur nom. Ce qui l'attriste, c'est de ne pas différencier les deux rouges-gorges qui nichent à la ferme. L'un a son nid dans le lierre, l'autre derrière la maison. Ils se ressemblent avec leur poitrail orange. Joseph sait que l'un est plus petit que l'autre, mais il ne peut les distinguer s'ils ne sont pas côte à côte.

Il est temps d'aller courir.

Les herbes sont gantées de gel.

Trois chevreuils broutent près du ruisseau. Ils semblent converser entre élégants. Il reconnaît la mère et ses deux petits. Leurs silhouettes s'échappent des laines de brume. Joseph les regarde à travers la vapeur qui sort de sa bouche. Chaque fois c'est un ravissement.

Les insectes se sont tus. Le brun, le blanc, le gris recouvrent le causse.

Les gouttes de rosée sont prises dans le filet des toiles d'araignées.

Combien sont-ils dans le domaine ?

Les truites répondent en silence. Elles tournent dans le lavoir de la Fontaine Claire, elles ont un air fâché tout le temps. Un air indifférent. Joseph attrape le cylindre d'aliments en paillettes. Les poissons viennent téter en faisant des bulles. Il reviendra dans la journée leur donner des vers de terre. Peut-être qu'un jour ces truites se reproduiront, si leur sexe est le bon. Il devrait en capturer d'autres, même si ça prend parfois des journées entières, cela en vaudrait la peine (encore quelque chose à faire, à noter sur son cahier).

Elles tournent, il espère. Il a faim de cette chair. Mais comme en toute chose, la patience est maîtresse.

Il a été patient dans les pires choses, il pourra l'être dans les douces.

Le pic épeiche vole en traçant dans l'air de longs pointillés. Le geai l'a prévenu de son passage. C'est l'heure où l'homme jogge dans les bois.

Chocolat est dans son champ quand il rentre. Le domaine est bien établi, la journée sera ensoleillée encore, mais fraîche ; on sera bientôt en décembre. Il prend du maïs dans sa main et le mouton vient lui gratter la paume. C'est un doux moment.

Dans les clapiers, les deux lapins qu'il a réussi à capturer s'affolent. Ils ont beau manger à leur faim, eux préféraient un monde sans hommes.

Joseph rentre dans sa maison pour la dernière réponse.

Qui est là, avec lui, dans le domaine ?

Il referme la porte. Il se met nu dans une large bassine. Avec de l'eau chauffée à la casserole, il fait sa toilette. Il a une méthode rapide et efficace pour se laver en gaspillant le moins d'eau possible. L'Abeille met de l'ambiance.

Il a du riz à réchauffer pour le petit-déjeuner.

Il met la cafetière sur le gaz.

Du café, il n'en manque pas. Il manque de farine donc de pain. Il n'a plus de biscottes. Il se rationne en confitures, il rêve à des fruits. Il manque de viande fraîche et de légumes verts. Joseph mange principalement des féculents avec de l'huile et du sel. Parfois un poireau. Il a gardé, au sous-sol, près de la réserve de bois, des pommes de terre dont il contrôle la germination en espérant pouvoir les planter au printemps. Il rêve à des repas plus gras, du fromage, du beurre. Pour tenir bon, il avale chaque jour des compléments alimentaires de la pharmacie de Morinte, parfois des substituts de repas hyper-protéinés.

La cafetière à l'italienne siffle sur la couronne bleue des flammes. La cafetière répond à sa question, elle compte comme une amie. Joseph aime tous ses meubles comme des compagnons.

Il n'y aura pas de second domaine. Posséder, il le sait maintenant, c'est prendre soin.

Il y a une dernière réponse qu'il cherche avec cette tension que jadis il mettait dans l'amour. Avec la même angoisse à l'idée de la perte qu'il a vécue avec Chocolat.

…

Où es-tu ? Où es-tu passée ?

Sous la cafetière, on voit le four. Puis le regard tombe sur les tomettes, elles courent sur toute la longueur de la pièce. Jusqu'au fauteuil devant la cheminée. Au milieu de la pièce, une grande table où sont posés des chandeliers et ses cahiers d'organisation. Il y a une armoire avec ses meilleurs vêtements. À droite, sur un sommier, le matelas couvert de lainages. La porte fermée à côté du frigidaire-étagère, c'est la pièce des stocks. Il y a au sol un tapis enroulé sur lui-même pour éviter les courants d'air.

Toute sa vie est là. Dans cette unique pièce.

…

Mais où es-tu ? Où es-tu passée, ma belle ?

À l'angle de la chaise, une ombre rousse a bougé.

Elle a bondi.

Elle est sur la table, dressée sur ses quatre pattes.

…

Te voilà, ma belle !

Ma Fine, ma grande, comment ça va ?

La belle chatte. La jeune chatte tigrée. L'animal bâille en ouvrant grand la gueule, puis s'assoit sur son derrière. Sa queue tapote la table. La chatte regarde l'homme de ses grands yeux. Son visage a une expression que Joseph reconnaît déjà avec le plaisir de l'habitude et de la familiarité. Fine veut son lait, même un tout petit peu.

Hey, ma grande, j'en ai presque plus, tu sais.

Et il avance la main vers elle.

La chatte courbe le cou, répondant à sa caresse. Puis elle se défait et miaule en réclamant encore. Elle attend de lui quelque chose, et c'est tellement bon. Juste ça : qu'elle lui demande.

Qu'elle l'attende.

Comme quand Chocolat bêle pour son maïs, il se sent tellement bien.

La chatte lape son lait et l'homme boit son café. Tous les matins ils mangent ensemble, sur la même table, et c'est un moment d'amitié.

Fine, la chatte rousse, est venue le rejoindre.

Il était, comme souvent, sur sa chaise en train de regarder le mouton, profitant des heures courtes du soleil de décembre, en taillant tel un cow-boy un morceau de bois dans la parcelle reclôturée. C'était le milieu de la journée. Une silhouette rousse est passée au bout du champ. Il a tout de suite reconnu un chat. Mais il a mis plusieurs secondes pour se lever. Son esprit n'a plus l'habitude de réagir vite. À la Petite Ferme, on est rarement pressé.

Et soudain, un événement : un chat dans le pré ! Déjà l'ombre va se fondre dans le vert, il faut faire vite. Courir à la ferme, attraper une de ces dernières et précieuses boîtes de sardines. Revenir et la poser où l'animal a été vu, appeler « Petit, petit… ».

S'éloigner, prendre les jumelles le cœur battant. Voir alors le chat revenir, dévorer la boîte entière.

…

Un chat, c'est extraordinaire.

Un chat, c'est la possibilité de la caresse.

Un chat, ça peut entrer dans la pièce. Dormir près de lui.

C'est le plus grand bouleversement depuis le début.

Deux journées entières, l'homme va tourner autour du chat qui tourne autour de l'homme. Le chat a sans doute marché des kilomètres pour trouver un foyer habité. Il a peur de l'homme mais il en a besoin. C'est une histoire d'apprivoisement qui a été interrompue par la Catastrophe et qui se retisse.

Un chat sait ce qu'est une maison, il connaît l'odeur d'une maison occupée. Le chat mange dans la cour une deuxième boîte de sardines. Le chat sait ce que Joseph est en train de faire : il est en train de le rassurer. Il apprécie la voix humaine après ces nuits à redouter le cri du grand-duc.

Joseph a son cœur qui se gonfle. C'est aussi bouleversant que si un chevreuil venait près de lui, comme un mouton en plus petit, une femme en miniature. Cette petite chatte rousse lui va droit au cœur.

Oui, t'es une femelle, je le sens...

T'es trop belle.

Ne pas l'effrayer avec des gestes brusques. Parler bas, rester calme. Il a appris ça de Chocolat. Il baisse le volume de l'Abeille.

Hey, ma belle, je laisse la porte ouverte, tu peux entrer si tu veux...

Il a fallu deux jours et elle se glisse à l'intérieur de la pièce. Parce qu'il pleut. Il pleut beaucoup en ce moment.

Oui, il est persuadé que c'est une chatte. Elle est si fine dans son pelage, elle est si délicate en tout.

J'y crois pas, t'es belle, t'es belle...

La chatte se cache sous l'armoire pendant une journée entière. Elle craint d'être mal tombée. C'est son premier homme depuis si longtemps. Mais le feu la fait ressortir. Elle est attirée par le feu qui chauffe la pièce. Elle reconnaît le langage des bruits qui sortent de la cuisine.

C'est un animal domestique.

Elle n'a pas oublié, elle, la vie des hommes. L'ancien monde où on se réchauffe ensemble, où des voix résonnent.

Si le mouton, c'est la paix, le chat, c'est la tendresse. Joseph est amoureux, tout de suite, de la rousseur de son pelage, de la douceur de son poil.

Je serai gentil, va…

La bête ressort de dessous l'armoire et considère à son échelle la pièce à vivre.

Tu veux bien rester avec moi ?

Joseph lui parle, elle le regarde et déjà ils ont commencé quelque chose de nouveau. Puisqu'en entrant, la chatte a coupé son temps en deux, laissant derrière elle comme une tranche molle le temps où il était seul dans cette pièce, ce temps qui lui paraît soudain si aride.

…

Il l'appelle Fine parce qu'elle est maigre. Qu'elle a un regard de reine fière.

Hein, Fine : ça te va ?

Toi, t'avais un maître avant, hein ? Une vieille dame à chat, non ?

Le chat, c'est la douceur, c'est la caresse, mais il ne peut la forcer, il faut attendre, ça viendra.

Fine chassera les souris, pense-t-il aussi en la voyant inspecter la pièce. Les souris qui circulent sous la terrasse. Ces rongeurs qui volent les miettes aux moineaux. Elle a dû en tuer des quantités dans la forêt avant d'arriver jusqu'à lui.

C'est vraiment super…

Il vit une journée extraordinaire. Il le sent. Il va chercher du lait dans la pièce des stocks.

Hein, ma Fine, tu aimes ce lait-là ? Ça f'sait longtemps, hein ?

J'en fais, des folies pour toi.

Viens là, n'aie pas peur, je ne bouge pas.

Il la regarde du coin de l'œil, le cœur oppressé par une envie qu'il doit retenir : la prendre dans ses bras.

Fine le regarde. Elle regarde le feu.

Le feu craque, siffle, souffle. Les flammes jaillissent et meurent, bougent, ondulent et rejaillissent, on peut le regarder des heures. C'est comme un génie qui réchauffe le cœur.

Une émotion lentement le tétanise quand il voit la chatte s'approcher encore, elle pose une patte sur son genou. Il n'ose plus parler. La chatte miaule, comme pour dire son hésitation. Joseph parle alors à voix basse et monocorde.

Et le miracle s'accomplit. La chatte grimpe sur ses genoux et s'assoit. Ce petit corps roux reste là, encore vibrant de crainte. Doucement, Joseph la caresse du plat de la main. Joseph sent alors une chaleur douce et profonde se répandre dans tout son corps. C'est un animal qui a dû souffrir de la vie sauvage, car il n'aura pas fallu longtemps pour qu'il prenne place sur les genoux d'un homme. Un animal affectueux. Ce dont il avait tellement besoin sans le savoir.

Joseph caresse le chat. Et, ce faisant, il lui semble larguer les dernières amarres qui restaient en lui, et entrer dans un monde plus unifié.

Une délicieuse tendresse irrigue ses membres. La pensée que cette chatte est un don du domaine. Un signe d'alliance. Assis auprès du feu avec l'animal sur ses genoux, il lui semble désormais que son foyer est plus sûr, enfin complet.

Oui, il ne lui manque rien.

6

Alors, ma Fine, tu vas bien, ce matin ?

Aujourd'hui, j'ai du travail, moi.

Désolé, tu vas pas aimer, mais je dois mettre un peu de bronx. Faut qu'je maçonne ce conduit d'eau. Ça va faire du bruit et de la poussière, mais je peux pas rester à attendre que l'eau gèle, faut que je trouve une solution pour me laver, pour avoir de l'eau chaude. Fait trop froid.

Je vais revoir une dernière fois mes schémas.

…

Hey, c'est pas pour jouer, c'est ma gomme, Fine !

Allez, t'es gentille. Mais oui, t'es gentille… Attends, t'as de la poussière sur la moustache, je te l'enlève…

…

Bon, alors. Soyons méthodique.

Le jerrican est déjà accroché au plafond.

Dire que ça m'a pris déjà une journée de travail, cette poulie.

Le tuyau d'eau vient du jerrican, qui entre dans un tuyau dur, lequel entre dans la cheminée par le haut – c'est là que je creuse. L'eau passe par le tuyau, entre dans le radiateur en fonte – que je maçonne au fond de la cheminée –, du coup l'eau elle chauffe, ressort à gauche, plus bas, par un autre trou – crayonne pas trop fort, tu verras plus rien. Résultat, j'ai mon eau chaude dans l'autre tuyau, à un demi-mètre au-dessus du niveau du sol. Le mieux, c'est d'arriver à le garder, ce tuyau d'eau chaude, qu'il fasse le tour des murs. Comme ça, je pourrai remplir des bassines dans le coin cuisine.

L'été, je pourrai tirer une rallonge et me doucher dehors, sous la terrasse, ça fera gagner en pression avec le dénivelé de la terrasse. Quoique, l'été, j'aurai plutôt intérêt à faire chauffer l'eau par le soleil. J'vais pas faire du feu l'été, faudra que j'invente autre chose.

Bah, ça, j'ai le temps de voir. C'est pour mon hiver que j'dois me grouiller, là.

Ça semble bon.

Tu fais ta toilette, Fine ? T'as pas de problème d'eau chaude, toi, t'es autonettoyante…

…

Tout est calculé, j'ai tout le matos. Depuis le temps que tu sillonnes les environs pour collecter le matériel dans les garages…

Faut plus hésiter, faut le faire.

Mets-toi en tenue de travail.

J'ai pris les mesures où percer. J'ai le burin… Y'a plus qu'à…

Mais si je perce les trous et que je me plante, bonjour.

Y'a pas de raison que tu te plantes.

J'ai le ciment, le sable, l'eau, ça devrait être bon pour la maçonnerie. J'ai déjà fait avec des potes.

Tu seras content, après, de plus te geler avec de l'eau glacée.

…

Mais si tu pètes tout, faudra déménager, ça craint.

Putain, ça fait dix jours que tu bloques là-dessus ! Tu vas pas reprendre le débat, c'est la meilleure solution, Jo !

L'eau vient du jerrican suspendu au plafond, elle entre à droite par le tuyau, elle passe par le radiateur que t'auras mis dans la cheminée et même isolé avec du ciment, le feu la chauffe, et elle ressort à gauche par un autre tuyau. C'est une bonne idée.

J'ai tout le matos.

Non, Fine ! J'ai pas le temps de jouer avec toi, je suis nerveux. J'ai peur de faire des bêtises.

Si le radiateur, il explose ?

C'est pas possible, c'est de la fonte, et si je mets une couche de ciment par-dessus, pas de problème.

J'ai fait tous les schémas. Pourquoi j'arrive pas à m'y mettre ?

Est-ce que c'est parce que chuis tout seul ? Je vais pas attendre l'autorisation, je peux le faire.

Je peux le faire tout seul, c'est pas le blème.

Le truc, j'ai peur d'avoir oublié un truc important.

Tu veux sortir, ma belle ? Allez, file. Mais va pas loin. J'aime pas quand tu cours la campagne.

Je vais fumer une cigarette.

…

J'ai cogité des journées entières à ce circuit d'eau, et juste avant de me mettre au boulot, je flippe. C'est marrant.

Va faire beau aujourd'hui, c'est le bon jour. Je peux pas attendre plus, il fait déjà froid et au printemps j'aurai trop de boulot avec le potager.

Chocolat est où ? Ah oui, là-bas, près de la clôture, tu vas voir que Fine va lui rendre visite. J'en étais sûr… Ils sont trop mignons tous les deux.

Elle adore ce piquet, et lui, il vient lui toucher le museau.

Mes bêtes, mes braves bêtes, qu'est-ce que je serais sans elles…

…

Ça se trouve y'a un autre système de douche, plus intelligent, que j'ai pas trouvé.

L'eau est froide. La cheminée est chaude. Y'a pas trente-six mille façons d'arranger la chose.

Bon, vas-y, passe à l'action. Ou sinon fais autre chose. Fais la clôture du deuxième pré pour Chocolat, par exemple. Ça, c'est simple. Ou remets en état le box à cheval pour qu'il soit plus à son aise.

Ouais… Mais après, quoi ? Tu rentres en sueur, plein de crasse, et tu te douches avec de l'eau gelée, et la moulinette à soucis recommence.

Tu as une vie salissante ici, Jo. Faut trouver comment chauffer ton eau.

Cette clope est déjà finie, merde, j'aurais dû fumer en y faisant plus attention.

Allez, arrête l'angoisse. Passe à l'action.

Le problème de la pensée est un problème circulaire, les soucis tournent, les circuits sont peu nombreux. La pensée traverse l'esprit par des conduits connus, elle fait toujours le même trajet. Il n'y a personne pour changer son chemin. Pour suggérer un autre passage vers d'autres idées.

Il y a des travaux à faire, à penser, à organiser.

Il y a, englouti, tout ce que Joseph ne peut penser seul.

Car c'est toujours le même mouton, le même chat. Il n'a pas d'autre regard que le sien. La nouveauté, c'est juste la météo qui change, les repas du soir qu'il essaie de varier. Peut-être que c'est bien qu'il en soit ainsi.

L'activité qui consiste à répertorier les stocks et à élaborer des grilles de menus est presque infinie.

Le soir, il arrive à lire des romans, c'est plus reposant que les manuels d'horticulture ou que ces documents sur l'élevage ovin qui l'ont effrayé à propos de toutes les maladies que Chocolat peut attraper.

Quand il est fatigué, il regarde juste des images. N'importe quelle image nouvelle, ça lui fait du bien. Ça le sort de son cercle de rumination. Il lit des bédés, il feuillette des encyclopédies sur la vieille Égypte. Il en profite pour s'instruire, se dit-il.

Il devrait peut-être se méfier de son cerveau.

Putain ! Le lit est couvert de poussière maintenant.

Je vais faire une pause, me déplier les jambes.

J'ai bien fait de pas aller trop vite.

C'était pas la peine de faire le ciment aujourd'hui.

...

Je mangerais bien un bout de viande, moi.

J'ai été con de manger toutes les boîtes de cassoulet cet été.

Cet été, ça semble si loin...

N'y pense plus, c'est trop bizarre.

...

Fine est partie en balade. Elle aime pas les travaux, tu m'étonnes : ça fait du bruit en plus.

...

Je vais finir les deux percées avant ce soir, comme ça j'enlèverai les gravats, c'est mieux pour elle.

J'attends de voir sa tête !

...

C'est bientôt l'heure d'aller voir Chocolat. La journée sera vite passée.

Je vais me faire une double ration de pâtes ce soir.

Pourquoi j'étais angoissé comme ça, avant de commencer ? C'est bizarre.

Mon système il est très bien, ça fait plaisir. Comme quoi, chuis pas encore taré, ils m'ont pas eu.

Ouais, ils m'ont pas eu, ces connards. Jo, il sait se débrouiller. Tonio aurait vu ça, il aurait été épaté, je suis le boss. Franchement, j'aurais tellement aimé lui montrer ça, à Tonio.

…

N'y pense plus. C'est trop de misère.

C'est la fatigue. N'y pense plus.

Lave-toi, fais-toi bouillir ces pâtes et nettoie ton matelas.

Le désir de confort le travaille par instants. Le désir d'une grande télévision, d'un bon canapé, d'un interrupteur servile. Le désir d'un micro-ondes avec un repas tout prêt.

Pourtant on s'habitue très vite à l'extraordinaire. Le monde d'avant, ces télévisions jetées sous les pierres, prend des allures de songe ou de supercherie. Le monde d'avant, avec son temps si court, réapparaît quand la pensée des Autres le visite.

…

Les Autres, que font-ils ?

Comment vivent-ils, là-bas ?

Mais, sans informations, sa pensée réoblique vers sa propre solitude. Sa tranquillité. Parce que si un étranger venait, ce serait la fin. Il faudrait fuir ou s'expliquer. Il faudrait quitter la ferme.

Pourtant cette pensée le travaille et il reste, malgré sa fatigue, à regarder la bougie. Il la triture avec une aiguille en laissant ses pensées luire et s'éteindre autour de la cire qui coule et se fige.

Il est devant la bougie, devant son assiette vide. Fine est sur son matelas, en train de faire sa toilette.

La chatte en rentrant a tourné autour de la cheminée en travaux. Elle a eu l'air de désapprouver ce désordre. Elle a donc remarqué le changement, les gravats. C'est bon qu'elle le remarque. Joseph lui parle. Le four est allumé, doucement, pour chauffer la pièce, vu que le feu ne peut pas être mis en route. Fine renifle, puis miaule sur un ton de reproche. Elle va se coucher sur le lit. Sa prunelle se couvre lentement de ses deux paupières.

Joseph est heureux qu'elle soit rentrée. Il reste assis de l'autre côté de la table, devant la bougie. Ses cahiers d'organisation sont ouverts devant lui, il y a d'autres schémas pour d'autres travaux. Encore du travail. C'est bien. Le circuit d'eau chaude va lui apporter du confort. En regardant la chatte, il dit à haute voix:

Tu verras, ça va nous changer la vie…

Mais la chatte ne répond pas. Il le dit tout haut, mais ce sont des mots pour rien. Il se tait, intimidé par le silence du soir. Il n'a plus envie de musique. La cire coule. Il ne peut commenter son travail avec personne. Il devrait aller se coucher.

Les bêtes de la forêt, si elles s'approchaient de la fenêtre, ne pourraient pas comprendre. Pas plus qu'il ne peut comprendre l'ingéniosité des nids de pies qui apparaissent en boules en haut des arbres. Chacun reste à sa place.

Cet automne, il a eu quelquefois l'impression de comprendre. Maintenant, l'hiver le voit reclus dans sa pièce à des occupations humaines. Les bêtes, celles qui grattent, celles qui grognent, verraient par la vitre un homme assis sur une chaise, coudes sur la table, face à une flamme courte qui entoure son visage d'un halo jaune.

…

Que font-ils, les Autres ?

Comment vivent-ils là-bas ?

Peut-être la bougie contient-elle, repliés en elle, d'autres hommes devant d'autres flammes. Peut-être qu'à travers elle il pourrait entendre ces mots qu'il désire, ce commentaire de connaisseur sur ses travaux. Peut-être, s'il savait, la petite flamme lui transmettrait les visages, les exils, les recommencements, les voitures qui roulent dans l'autre zone, les mots violents contre les pauvres, leur force et leurs paroles, tous ceux qui vagissent, embrassent, pleurent, tombent, frappent, achètent encore, existent là-bas – peut-être sont-ils contenus dans cette petite flamme comme un phare au langage particulier.

Comment se douchent-ils dans les camps de réfugiés ?

Que font-ils de leurs journées ?

Ont-ils eux aussi des travaux ? Comment font-ils ?

Sangliers et belettes frôlent la maison. L'homme reste devant la bougie. La lumière ondule sur sa mèche comme pour se libérer de sa base, s'envoler.

Dehors tout est noir depuis longtemps. Pourquoi s'opposer, pourquoi jouer à l'homme aux sourcils froncés ?

Tant qu'il tiendra, il y aura demain un nouveau matin. Faire sortir le mouton, courir, contrôler les truites et les lapins. Voir Fine à son retour qui attend son lait.

Cet amour qu'il éprouve pour elle à ce moment-là, parce qu'elle l'attend sur la table. Parce qu'il prend soin d'elle, qu'il est pris de nouveau dans une chaîne.

Quand il aura fini les travaux du conduit, il faudra réparer une clôture, trier des noix, tendre des collets, nettoyer une route, tenir sa maison propre. Sans conseil de personne. Faire la cuisine, la vaisselle, le linge, tout prend du temps et c'est bien, parce que le soir on est fatigué.

Joseph fait tomber la cire sur sa main. D'abord en gouttes sur le dos de sa main, puis il l'étale sur les phalanges jusqu'à ce qu'elle prenne des allures de lèpre blanche. Contempler cette main momifiée est un jeu amusant, obsessionnel. Il fait céder cette peau qui se craquelle, et retrouve sa peau rose en dessous, sensible et chaude.

Il fait froid, une couverture sur les épaules.

Fine est en boule au bout du lit. On pourrait croire qu'elle dort, mais sa queue s'agite en signe de mécontentement. Ça signifie : Tu viens te coucher ou bien ? Alors l'homme se lève. Il va contrôler le four à gaz qui sert de radiateur, il fait une rapide toilette, pense encore à demain, au travail qui l'attend, et se couche.

…

Ce ventre roux, ces poils doux, comme un petit concentré d'amour. C'est une présence sans les ennuis. Une femme aurait fait des commentaires idiots sur la saleté de la pièce. Un homme aurait cassé plus qu'il en fallait pour faire passer le tuyau. Lui, il a fait comme il faut.

Il ferme tous les volets pour garder la chaleur. Un drap lourd de pluie recouvre la maison maintenant. Elle dégouline sur le toit. Joseph a la tête qui tourne légèrement.

Il reste dans le lit, respirant au rythme du ronronnement de Fine. Il sent ce foyer de chaleur près de lui. Joseph sent qu'il a plus besoin d'elle qu'elle n'a besoin de lui. Heureusement, il n'y a personne pour se moquer de ce sentiment.

Joseph pense aussi à Chocolat. Sa pensée sort de la maison, va dans le box de l'autre côté de la ferme. Il imagine le mouton couché dans la paille. Il sait que le bélier n'aime pas être seul, mais il n'a pas trouvé la brebis qui aurait survécu et qui viendrait les rejoindre au domaine.

Ils sont tous des rescapés de quelque chose, ils sont devenus les sentinelles vers autre chose. Ensemble ils essaient de recommencer une autre histoire.

Le lit s'est incurvé comme une paume. Au début, le tissu froid le mord presque. Il faut rester immobile et attendre : lentement la chaleur de son propre corps crée un halo de douceur au sein de la cavité de la couette. Sur son flanc gauche, Fine apporte sa propre chaleur, et sa présence lui donne une douceur plus profonde.

Il lui murmure : Ça va, ma belle, hum, ça va, mon chat ? – comme un mantra dont lui-même se berce. Autant Fine montre son indépendance durant la journée, a son moment de folie juvénile au dîner, autant dès le coucher elle semble prendre une sagesse de vieille femme. Fine a tant de visages.

La lampe frontale est posée sur sa tête. Joseph lit un moment, par discipline.

Il peut maintenant éteindre la frontale. Remettre en place les quatre couvertures qui l'écrasent d'un poids confortable.

Ses yeux se ferment. Il a un bonnet de laine, des chaussettes aux pieds, un châle sur les épaules. Le sommeil le gagne. Le four souffle tout doucement. Fine ronronne, puis s'endort avec lui.

7

L'hiver contracte le temps.

Les paysages se ferment et les odeurs se raréfient.

Les mousses se gavent d'eau et prolifèrent.

Autour de la ferme, les cailloux boivent encore, ils s'effritent sous le gel. Les écorces plissent. Le gel crée des cheminées de vapeur dans les sous-bois, des fumerolles qui s'évadent de la terre vers le ciel.

L'hiver durcit les sensations. La vie oscille entre deux pôles, le froid et le non-froid. Les mains gèlent, la peau tire. Il faut boire du thé plusieurs fois par jour – ou de l'eau chaude sortant de son tuyau.

Les truites survivent en dessous.

Les lapins sont tués, Joseph avait trop faim de viande.

Les journées s'écourtent.

Quand il se réveille le matin, partout le froid. Sa main en dehors du lit replonge vite sous la couette.

Fine miaule pour sortir. Joseph se lève pour lui ouvrir, et se recouche tout de suite. Il appuie sur

Play. Mais l'Abeille a les piles usées et les voix se languissent. Parfois ça le fait rire, ce matin ça le déprime. Il faut franchir la couette dans un bel effort : s'habiller et vite relancer le feu. Il souffle sur les braises. Les premières flammes le sortent de sa tristesse.

Avec le feu la journée a vraiment commencé. Le feu l'aide à lutter contre le froid. Fine s'ébroue en rentrant. Il lui demande si elle a bien dormi, elle répond en se frottant à ses jambes. Elle le regarde enfiler son jogging et ses chaussures de sport.

Le feu qu'il craignait pour sa fumée est devenu un compagnon à part entière. Le feu nourrit les yeux de l'homme, l'homme le nourrit de bois. La fumée n'a pas attiré de drone. Mais elle a donné à la maison une odeur particulière. Mieux encore, le feu a ajouté comme un second toit à la Petite Ferme, celui de la chaleur en plus de celui de l'abri.

Le plus agréable, c'est après le footing, quand le feu rougeoie dans la cheminée. L'air de la pièce a été réchauffé. Il semble attendre, avec Fine, son retour. La pièce n'est plus déserte et sombre, ce feu lui donne une vie propre, réjouissante pour le cœur.

Fine avait peut-être senti la fumée à travers le causse, quand elle s'est approchée de lui. Elle aime s'asseoir sur le fauteuil en face des flammes. Joseph a l'impression de voir deux camarades face à face. La rousseur de la chatte et la rougeur du feu.

À force de vivre comme dans un rêve et de simplifier à l'extrême son univers, il franchit certaines barrières invisibles, et des lois nouvelles commencent à régner entre les objets et les êtres vivants.

Le travail vient à se réduire. Joseph ne peut couper du bois qu'une heure de temps. La fatigue, la pénombre rapide, les mains raidies l'empêchent de continuer.

Il mange moins puisqu'il travaille moins. C'est une résolution qu'il a prise pour ne pas épuiser ses stocks. Il est content de cette résolution ; elle lui procure une vertu valorisante. Il mange après le footing et avant le coucher. Ça lui suffit.

Il maigrit, ses cheveux réchauffent sa nuque. Sa barbe cache en partie sa balafre.

L'hiver, le ciel est constamment autour de lui, gris, épais, durant des jours entiers. Il se concentre parfois et tombe en petites gouttes glacées. L'horizon se ferme.

La seule chose en expansion durant ces semaines, c'est le sommeil.

Et une tristesse étrange.

Il y a bien celle d'avoir tué les lapins, constatant qu'ils étaient deux mâles. Le premier pour le manger, le second parce que le premier était trop bon.

La tristesse a commencé en mangeant le second lapin, parce qu'il y en avait bien pour quatre personnes.

Ce soir-là, il était fâché contre Fine.

Putain, j'ai cuisiné, tu pourrais finir ton assiette !

Il note tout de même la recette de lapin dans un de ses cahiers. Puis la pensée de chasser ou pas, la question du bruit de la détonation, relance son esprit dans des cercles imbriqués de peur, de crainte, de faim et de tristesse, il pense à l'avenir aussi.

Pourquoi tu te prends la tête ?…

Tant que t'es bien, là.

Il pressent qu'il finira par chasser, comme il a fini par faire du feu, quand la décision s'imposera.

Il aurait voulu qu'il neige. Pour que la neige camoufle la terre, le potager au repos. Qu'il neige pour couvrir sa pensée, que le blanc étouffe le chagrin.

Le 24 décembre, la tristesse devient plus sourde. Elle se nourrit de chaque bûche qui noircit, de chaque fumée minuscule qui s'échappe du feu. Des souvenirs d'enfance mal ensevelis sous les réveillons sinistres de la prison réveillent un Noël mal enterré.

Il regarde les flammes jaillir et mourir. Souvent ses pensées s'y consument. Mais ce soir-là encore, le chagrin dure. Alors Joseph se lève, se retourne vers le froid qui attend derrière lui comme un drap tendu dans la pièce. Il fait quelques pas vers le mur et décroche le calendrier.

L'année civile sera terminée dans une semaine. Il n'a pas de calendrier pour la prochaine année.

La seule solution est de recommencer avec le même.

O.K., ça fait passer du vendredi 31 décembre au vendredi 1er janvier. Ça fait deux vendredis, mais quelle importance ?

…

C'est vrai, on s'en fout.

Tant que moi, je me comprends.

D'ailleurs, l'année prochaine, j'ai qu'à supprimer la journée du 24 décembre si elle m'angoisse, et passer directement à la suivante.

C'est vrai, ça, pourquoi je m'emmerde ? Je peux supprimer des journées !

Déconne pas, Jo, si tu commences comme ça, tu vas te décaler par rapport aux saisons. Et quand t'en seras aux plantations, ce sera le waï si t'es pas dans les clous. Les manuels de jardinage, ils donnent des dates assez précises pour planter les légumes. C'est grave important le tempo au jardinage.

…

Wesh, mais le 24 décembre je pourrai quand même le faire sauter l'an prochain.

Et le 3 juin, quand on m'a incarcéré. J'ai des cauchemars encore avec ces crevards.

Oh puis merde, je fais ce que je veux après tout.

Pour que le compte soit bon, j'ai qu'à doubler des journées. Voilà.

J'ai qu'à doubler le 1er novembre et le 15 avril, mon anniversaire. Pour la fête de Chocolat, le

1er novembre, on double… Comme au casino, deux fois la mise pour la fête du Mouton. Et aussi : deux fois un 15 avril pour moi. Du coup, je gagne deux jours et je peux biffer… avec un feutre c'est mieux – il est où ? – un qui marche – Voillllà, je peux biffer à l'avance le 3 juin, ces enculés de matons, et le 24 décembre. On passe directement du 23 au 25 et à la fin y'a quand même le compte.

…

C'est vrai, je m'en fous de leur fête à eux. C'est moi le patron ici. Je peux raturer des jours si je veux.

D'ailleurs, j'devrais m'prévoir des fêtes juste-pour-moi, juste pour m'ambiancer. Je commence à déprimer, faut réagir. Disons que le 8 janvier, ça sera la fête des Cailloux.

Ces putains de cailloux qui sont partout.

Bonne idée, ça. Allez, le 8, tu feras des constructions en pierre avec ces caillasses. Des sculptures géantes. Ou des concours de lancer. Le 8 janvier, journée des Cailloux. Ils le méritent bien, ils sont partout.

Me faut une fête tous les deux mois au moins, pour kiffer l'année. J'boirai le whisky à ce moment-là. Sinon je vais craquer à force de rationner tout.

Voilà, fallait pas que j'm'inquiète. C'est le kiff comme ça.

Je suis le king ici.

Le truc, c'est de résister à la tentation de biffer les jours avant les fêtes, pour qu'elles arrivent plus vite…

Mais si je commence à prendre trop de marge, ça va pas le faire.

Ça me fout un peu le vertige si j'y pense trop…

Faut que je reste discipliné, sinon c'est l'angoisse.

Les jours avaient rallongé pourtant. Il croyait s'être fait à l'hiver.

Le 8 janvier, un concours solitaire de lancers de cailloux, ça n'a rien de drôle. Alors il a construit un immense cairn à côté du portail doré, une occupation qui intriguait Fine.

C'était censé être un jour de fête. La tristesse continue.

Ça a commencé par un détail, un objet minuscule, une petite roulette bleue qu'il trouve en bricolant une lampe électrique.

Une roulette crantée, en plastique, qui est dans la caisse à outils dans l'atelier. Elle lui en rappelle immédiatement une autre qui faisait partie d'une attelle sophistiquée qu'on lui avait donnée à l'hôpital. Il a quatorze ans – il s'est rompu le tendon d'Achille en jouant au foot. Après l'opération, un infirmier vient lui poser une attelle pour sa convalescence.

Il s'agit d'une attelle bleu et noir, de très bonne qualité : souple comme un bandage, aussi solide qu'un plâtre, toute en plastique dur et en scratch, elle a au niveau du talon une petite roulette avec plusieurs crans. Une roulette comme celle qu'il tient entre les mains aujourd'hui. Il se rappelle que l'infirmier lui avait dit de tourner les crans afin d'agrandir « progressivement et à votre rythme » l'angle de maintien du pied, ce qui rendrait sa souplesse à l'articulation.

Déjà, à l'époque, il avait trouvé ça ingénieux. Et sa mère, toujours reconnaissante, Qu'est-ce qu'on n'invente pas aujourd'hui, quand même, Ils sont bien gentils.

Dans cet appentis, en une seconde Joseph revoit le match de foot, la glissade, les pompiers, la salle de l'hôpital, il revoit sa mère qui lui tient la main, la nuit, seul, le bouton blanc qui est suspendu au-dessus du lit ; il suffisait d'appuyer pour qu'un membre du personnel vienne dans sa chambre, Vous avez appelé, monsieur ?

…

Joseph manque de tomber, il s'est retenu de justesse.

Ce n'est rien, juste un éblouissement.

Il a les yeux qui piquent avec la poussière, il va se coucher.

Ça va passer.

…

Mais ça ne passe pas.

Qu'est-ce que j'ai, putain ?

À partir de ce jour, le jour de la roulette de plastique, toute son existence lui revient. Ce sont des vagues de souvenirs qui l'emportent et le laissent hébété.

Son esprit se refuse à absorber quoi que ce soit d'extérieur, rien de concret venant de ses cahiers. Il ne peut plus prévoir aucune tâche, ni lire, ni bricoler. C'est à peine s'il parvient à nourrir Chocolat et à parler à Fine. Il se couche et se nourrit de sa propre substance.

À croire que toutes les activités qu'avait demandées le Domaine avaient formé un barrage contre le flot des souvenirs, et que ce barrage a cédé. Maintenant, les vagues jaillissent, le submergent dans un flot d'autant plus puissant qu'il a été longtemps contenu. Enfoncé dans son lit, inerte, sans volonté, il ne peut que subir.

Putain, mais qu'est-ce que j'ai…

Le pire, c'est que sur cette mer de tristesse et de mélancolie se détachent d'abord avec une acuité imbécile les épisodes les plus contrariants, réminiscences de journées gâchées, de disputes et de publicités télévisées.

Puis une décantation s'opère et pour la première fois depuis des années, il revoit le visage de ses collègues. Le bureau du patron, son front soucieux au milieu des papiers, il revoit la salle de pause entre deux missions, les voitures de la boîte et les tenues de travail. Son corps se rappelle les gestes qu'il a faits tant de fois. Dans le lit humide, ses mains démarrent des voitures, remplissent et vident des cartons. Font des mesures. Serrent d'autres mains.

Sa pensée glisse ensuite vers les années vécues en couple. Il tente de les refouler, comme il l'a fait en prison, mais elles s'imposent. Il se rappelle qu'il a fait l'amour, tant de fois, et cela le déchire, car dans le même temps il est incapable de se souvenir de moments précis de l'acte, ce qui se passe vraiment. Il ne reste, avec une douceur terrifiante, que la sensation d'un corps chaud contre le sien. Le manque de tendresse accumulé sous sa peau le secoue de frissons.

Quand il sort de ce chagrin, il tient à peine sur ses jambes. Le besoin de parler à quelqu'un le rend stupide. Mais les souvenirs affluent encore, en masse, d'autres visages, des soirées de l'époque de ses vingt ans, et sans qu'il puisse résister, des personnes d'ordre secondaire se mettent à l'obséder comme des chansons débiles qu'on garde dans la tête.

Où ils sont, aujourd'hui ?

Ils sont tous morts, ou bien ?

Le fait que ces gens puissent continuer à exister quelque part le laisse idiot. Puis lui reviennent, par une conductibilité inexplicable, les mille soucis qu'il a dû affronter après la mort de sa mère. Quand il pense qu'il est parvenu à vaincre toutes ces tracasseries, il est rempli d'une sorte d'ahurissement.

Ne pense plus à ça, bouge, bouge-toi.

Il faudrait sortir, aller pêcher, se plonger dans l'eau glaciale, réagir, résister au lieu de s'abandonner, au lieu de regarder défiler, passif et malheureux, ces années mortes et l'ombre portée des mots à jamais non dits.

Si seulement je pouvais manger un truc frais, un bon fruit, un yaourt, du beurre.

Du fromage, nom de Dieu !

Et la pensée d'aliments dont il est privé fait tourner son cerveau à grande vitesse pendant des heures.

Il s'obsessionne. Dans sa main, il a gardé la petite roulette qu'il touche sans cesse. Il revoit les copains du club de foot. La joie qu'ils avaient à jouer ensemble, et cette joie dont il est privé lui serre la gorge. Jouer, s'apostropher au milieu d'un terrain de foot, rire, déconner, faire des passes, et les commentaires d'après-match. Il marmonne quelques phrases, comme s'il y était à nouveau.

Si seulement il pouvait y être à nouveau…

Fine miaule sans comprendre. L'homme ne se lave plus, il mange les derniers Snickers et les Haribo gardés pour les jours de fête.

Joseph profite ensuite d'une sorte de répit dans sa mémoire. Il se lève et coupe des bûches avec l'espoir de reprendre une vie normale.

Juste bosser, j'ai le potager à organiser. Arrête de faire le zombie…

Mais il se recouche comme frappé d'un coup.

Une autre vague succède à la première, presque tout de suite. Ce sont des souvenirs plus lointains mais plus sûrs, gravés de façon plus intime. Il a six ans, peut-être cinq. Il revoit le formica de la cuisine, les placards impeccablement tenus, l'autocollant anti-moustiques sur la vitre. Il perçoit jusqu'à l'ombre de son père, fantôme furtif dans l'appartement de son enfance. Puis la cuisine se remplit de voix. Elles résonnent depuis le passé. Il voit sa mère poser les courses sur la table, sa mère qui le complimente sur le dessin qu'il a fait en son absence. Il entend résonner cette voix muette de la morte, s'adressant à cet enfant mort qui est lui. Et il tremble, et il balbutie, et il sort de ses lèvres ce nom que les hommes appellent dans la plus sombre détresse. Maman.

C'est lui pourtant qui tient par la main sa mère. Ils sont couverts tous les deux par la même tristesse qui a duré pendant des années entières, cette manière dont il était avec elle rongé par la maladie, et l'inévitable séparation. Sa mort se réimpose en une douleur redoublée. La mort de sa mère, donc la mort de Tonio, à nouveau. Elles s'immiscent jusqu'ici, injustes, irrémédiables, inconsolables.

Fine dans l'encadrement de la fenêtre fait sa toilette.

Viens là, viens me voir.

Et la chatte, doucement, en miaulant, se couche près de lui.

Une sorte de rebond de l'orgueil le soulève en réaction à la douleur. D'étranges obsessions mégalomaniaques entourent Fine et Chocolat. Toute sa vie n'avait peut-être pour but que de le mener ici, accomplir cette mission auprès de ses bêtes, dans ce Domaine magnifique. Il se croit un saint, un envoyé, un élu. C'est une surchauffe d'orgueil. Ses nerfs souffrent et se régalent en même temps. Il a beau vouloir interrompre ces images, elles reviennent le flatter. Il a beau se dire qu'il déraille, de son lit il reprend ces désirs de survol, de grand incendie. Il a envie de construire des cités radieuses, de couvrir le causse de potagers et de brebis, se faisant à lui seul le grand Ensemenceur de la vie nouvelle.

Cet écheveau de fantasmes s'écroule à son tour. Et Joseph affronte, du haut de son esprit laminé, toute la misère de sa condition.

Fine le regarde avec un air de reproche.

Il ne reste de ces semaines de rêveries que la sensation d'être abominablement seul.

Depuis son arrivée sur le causse, la solitude ne l'a jamais quitté. D'une paranoïa, elle a pris la forme d'un soulagement, du repos du vacancier, d'une agitation laborieuse, puis d'un chagrin insidieux que Chocolat, Fine et même le feu avaient, chacun à son heure, adouci, voire dissimulé en mélancolie. Elle se mue à la fin de l'hiver en une douleur physique.

Faut que tu te lèves, mon garçon, lève-toi.

T'as choisi, c'est comme ça…

Tout le mois de janvier est passé. Février est mangé.

Faut que tu te lèves, mon garçon.

Soudain Joseph prend peur. Il n'arrive pas à se lever. À peine bouge-t-il les bras que ses poumons se contractent autour de son cœur, comme si la solitude était une maladie ayant son siège dans sa poitrine. Il se force à respirer pour éviter la crise d'angoisse. Rien ne lui fait mal pourtant, s'il réfléchit.

Qu'est-ce que j'ai, nom de Dieu ?

Il a juste la gorge serrée et cette tension qui monte, et qui crève enfin avec les larmes qui coulent. Il pleure sur son oreiller.

…

Qu'est-ce que je vais faire ?

Je peux pas partir, ils me tueront.

Je devrais me foutre en l'air, en vrai.

J'devrais me tirer une balle dans la bouche.

…

Mais la pensée d'abandonner Chocolat et Fine le paralyse.

Alors, enfin, il tombe malade, comme enflammé de trop de pensées. La fièvre l'embrase. Ça ne dure que quelques jours, mais d'une certaine manière, il en est soulagé.

Il sort de cet épisode le 21 février.

Joseph regarde le soleil se refléter dans les flaques qui épousent le sol.

Il a plu ? J'm'en suis même pas aperçu.

J'dois manger, me reprendre en main.

Il parvient à faire quelques pas sur ses jambes maigres. Sous le chêne un nid est tombé.

Il voit de minces bourgeons pointer sur les branches.

Des bourgeons, oui…

Il faut amener Chocolat dans l'autre parcelle. Faut voir si la clôture tient.

Et ces travaux dans la bergerie, c'est le moment maintenant. Le foin qui manque, le maïs…

Quel boulot.

L'homme reste sur la chaise de la terrasse, le soleil de février sur sa peau.

Un oiseau vient se poser près de lui.

Salut, toi. Ça fait longtemps qu'tu m'avais pas vu, hein ?

…

Peut-être qu'il ne sera pas là pour toujours, peut-être qu'un jour il partira, quand vraiment il n'en pourra plus. Mais pour l'instant, le printemps va arriver. Et il a prévu tant de choses pour le printemps, le potager qu'il a entouré de petits grillages contre l'intrusion des chevreuils. Ce serait idiot de perdre ce travail.

Il peut encore essayer de rester, encore un peu. Pour Chocolat, pour Fine, parce qu'il est impensable de s'en séparer.

Il y a dans le Domaine quelque chose d'indestructible.

8

Quelque chose comme une force.

Le soleil s'attarde, se pose plus longtemps sur la terre, la réchauffe. Une force qui pénètre le sol.

Alors du plus caché de la terre, du plus profond, du plus humble, des millions de graines lancent un cri muet de désir. Toutes, sous l'œil endormi, écartent la pellicule qui les tenait resserrées et déploient en même temps leur volonté opiniâtre de crever le sol. Les rayons du soleil répondent à cet appel, tirent et attirent chacune de leurs tiges, les scindent en minuscules langues, en lianes, en feuilles claires, jusqu'à ce qu'elles se répandent enfin à la surface du sol.

Il suffit de quelques jours, après la pluie.

Une masse de verdure semble être sortie de la terre ou tombée du ciel. C'est d'abord, au pied des arbres chauves, une pluie de flocons verts. Partout comme une neige qui chatouille avec des fleurs minuscules. Ravissant les chevreuils, nourrissant les yeux d'une couleur qu'on a envie de manger.

La Laure chante en y passant. Elle reçoit l'eau par giboulées, l'eau d'en haut; l'eau d'ici; l'eau d'hier; d'aujourd'hui. Le soleil s'affirme encore. La sève chauffe.

La sève qui attendait, tapie, dans un élan extraordinaire remonte contre la gravité et fend la masse noire des troncs.

Ces troncs qui ont survécu, troncs de travers, avec leurs racines brisées, leurs formes tordues, leurs branches raides. La sève écarte leurs veines de sa chaleur, elle remonte, irrigue, et pousse le bourgeon, ouvre les formes nouvelles. Elle pousse plus fort encore, jusqu'à ce que le bourgeon craque et se déplie. Les papillons sortent en bouquets des graminées, les graminées qui ont explosé de toutes leurs tiges.

Quelque chose de puissant.

Les lianes courant contre le muret cognent désormais aux carreaux.

Des bruits sourds tambourinent contre les arbres, irréguliers.

Il y a du vert partout, des griffes, des cris de bêtes, des papillons.

Ces feuilles, ces lianes, ces tiges, elles se tendent encore, plus longues, c'est un combat entre les flocons verts et ces feuilles avides, combat pour appâter le soleil, le garder rien que pour soi.

La terre gonfle, double, triple, se recouvre d'épis, de buissons. Les graines crevant sur le sol s'ouvrent comme autant de bouches molles tirant leur langue rose. Les abeilles furieuses se jettent sur ces langues et les oiseaux se jettent sur les insectes.

Des branches sont attrapées par des becs jusqu'à des nids, des mousses prélevées, les buissons visités. Les griffes creusent, les cuirs se frottent. Des centaines d'ailes cherchent partout leur place. Dès les premiers rayons les oiseaux chantent, mélodie, harangue, pour aimer, pour nicher, puisque c'est l'heure, l'heure de s'aimer. Ils sont sortis des branches, ils se cherchent, bâtissent, s'entrecroisent et entreconstruisent furieusement.

Une odeur d'aventure et de grands espaces a recouvert le causse. Des bouches coqueliquées embrassent un insecte et meurent. Les arbres voient repousser leur chevelure de feuilles, une par une. C'est un gonflement encore, une odeur qui rend les insectes furieux, une saveur de miel et de sucre.

Et les hirondelles sifflent, elles ont traversé des kilomètres, et en piqué elles chutent vers Saint-Noué, elles rasent les abreuvoirs, elles cherchent de la boue pour leur nid, y mettre leurs œufs, y refaire la vie.

…

Quelque chose triomphe.

Quelque chose a gagné contre le passé, contre le froid, contre l'obscur, et cette force de lumière, dans sa chaleur se fait végétale, innombrable, universelle. La végétation cache les chemins, couvre le bitume, assaille les murs, enfouit tout ce qui était mort et qui ne peut se mesurer à elle. Quelque chose de si puissant que les feuilles semblent naître au milieu de l'air, au bout des branches invisibles.

Le mouton se prend à courir comme un agneau. Il sent la terre qui sent le soleil, il tourne dans sa parcelle. Il cogne de la tête le râtelier.

La chatte est enfouie au cœur des graminées, la patte curieuse, les moustaches sensibles. Une odeur la séduit. Immobile il y a une seconde, voilà qu'elle se précipite sur une abeille. Deux oreilles dépassent du pré. La chatte mâche l'herbe, se roule au sol, cherchant à rejoindre ce Grand Quelque Chose qui tous les agite.

Mais soudain elle se redresse et court vers une autre forme.

Au milieu des ronces, c'est une autre vie encore : l'homme marche, suivant les impulsions nerveuses, suivant sans rien décider le mouvement des nerfs et des os et des muscles qui fonctionnent ensemble pour le tenir debout, éviter un obstacle, remettre un outil sur l'épaule ; et ça respire, ça tient debout plus ferme, vaillant, vivant, comme si le cerveau ne faisait que répartir des impulsions et des commandes d'une vie parmi d'autres dans ce printemps. L'homme s'approche d'une barrière, puis d'une grange, traverse une cour, franchit une porte.

À l'intérieur, tout est plus sombre.

La chatte s'est mise tout de suite à taper dans un chiffon qui l'excite. Elle a peur d'être désapprouvée dans son jeu, mais comme l'homme s'assoit sans rien dire, elle continue. La patte coudée, à donner des petites tapes au chiffon noué en boule sur le sol.

L'homme porte plusieurs fois sa main à sa bouche en soupirant. Puis l'homme lui parle, elle sent dans la voix une fatigue, mais rien d'anormal. Quand la lumière baissera, elle ressortira. Mais pour l'instant elle est contente d'être revenue dans la pénombre fraîche de la pièce. Elle a faim et va se frotter aux jambes. La voix revient, douce, répétitive. Fine finit par obtenir que des croquettes tombent dans son assiette.

Les jambes de l'homme tournent maintenant sur le plancher, et les objets montent en l'air, changent de place, les chaises changent de racines, puis les jambes s'immobilisent près de la fenêtre. Fine entend une autre espèce de voix, mêlée de bruits, une voix sans jambes qui provient d'à côté de la fenêtre et qui rend l'homme calme sur son fauteuil.

Si elle monte sur les genoux, l'homme va la caresser, mais elle aimerait aussi jouer. L'homme sent le potager, la terre. Soudain sa voix se fait plus haute. L'homme ne s'attendait pas à ce qu'elle grimpe sur lui. Elle ronronne, agacée entre deux envies, elle commence à le griffer légèrement.

Qu'est-ce que tu as, la belle ?

T'es tout excitée.

L'homme lui rappelle la terre retournée qui exhale, une tension de vers de terre et de bois fumé. Déjà la lumière a changé. C'est plus fort qu'elle. C'est dans le pré, une saveur, un appel. Il faut qu'elle reparte.

Dis donc, Fine, c'est pas fini, ton cirque ?

...

Quel numéro, celle-là ! Elle tient plus en place.

À force de se promener, elle va revenir grosse.

Y'a sûrement un chat sauvage dans le causse. Elle a dû l'sentir, avec ses hormones.

J'la comprends, ma Fine, elle est encore jeune. Moi aussi, si y'avait une femme sauvage, j'irais miauler dans les champs.

...

Comme un animal, ce serait bien de faire ça comme un animal. Sur le tapis de feuilles, sous les arbres, près d'la Laure, ouais. À poil dans les herbes. C'sont les bêtes qu'ont raison. Nous on s'emmerde avec tout le tintouin d'la séduction. Alors qu'une bonne saillie dans les bois...

...

N'empêche, si Fine elle avait des chatons, ce serait vraiment gentil, ça. Ce serait plus que gentil, sacrément chouette même.

On pourrait jouer. J'pourrais leur apprendre plein d'trucs.

J'crois que j'préférerais un enfant qu'une femme avec moi. Ouais, le mieux ici, c'serait un gosse qui courrait, qui pourrait faire c'que j'lui dirais, qui d'manderait des câlins le soir, comme Fine, et qui grandirait comme une plante. C'est tellement mignon, je kifferais, et puis ce serait gai, quoi. Je pourrais lui faire des chatouilles, m'amuser, le voir me sourire. Oui, ce serait gentil, elle est où la mère ?

Tss, elle est allée embêter Chocolat. Ils sont marrants.

Qu'est-ce qu'y peuvent bien se raconter, tous les deux ?

Mon Chocolat, j'aime prendre soin de lui, mais j'sens bien qu'y veut pas trop que je l'asticote. C'est un mec, y veut pas d'embrouilles. Alors que des gosses, ce serait que du bonheur. Ouais, j'espère vraiment qu'elle sera enceinte, ma Fine.

Le plus grand des trois potagers est près de la maison. Il rassemble des légumes variés, haricots, choux, courges, épinards, salades, courgettes, etc. Les deux autres sont en aval, près des Pelouses, pour être plus ensoleillés. Joseph a planté une parcelle entière de pommes de terre et une parcelle de tomates et de carottes.

Son manuel de jardinage, il le connaît presque par cœur quand il se lance dans ce travail. Il a cherché des graines dans les maisons. Il en a rassemblé beaucoup et étudié la question. Dans son manuel, chaque légume a sa page détaillée, avec le calendrier des *semis*, *repiquage*… En septembre déjà, en s'installant, il avait planté rapidement des oignons, des salades, des navets et des épinards. Ce qui l'avait aidé à comprendre les mots du livre. Ça n'avait pas marché parfaitement. Il ne fera pas les mêmes erreurs.

Il a clôturé les parcelles pour éviter que les chevreuils ne se servent. Ça l'a occupé longtemps, de simples clôtures, et de gros bidons pour récupérer l'eau. Puis des godets de semis en quantité, partout dans la pièce, et aussi dans de petites serres fabriquées dans la grange.

Puis il a fallu retourner la terre.

Le motoculteur récupéré dans la grange s'est cassé.

Putain !

Ce sont les pales qui ont choqué contre des pierres.

Y'a qu'à....

Putain !!!

Putain, j'ai failli m'faire broyer la main là...

...

Le cœur battant, Joseph a vu son présent sur le point de se déchirer – il a bien cru vivre l'instant suivant, cet instant-là, la main coupée en deux... Le cœur lui bat très fort. Vite, il va plus haut sur la parcelle de Chocolat, et au bord du fossé de deux mètres de haut, il jette la machine.

Puis il va chercher une bêche dans la grange.

Il regarde sa main, si fragile, en un seul morceau, sa main. Il en a besoin.

Si j'arrive pas à me nourrir, j'partirai, d'accord, mais j'vais pas me mutiler comme un con pour gagner une journée de travail, non.

Tu vas prendre ton temps, Jo.

Putain le flip…

Si je me coupe la main, c'est terminé.

Son cœur lui bat encore. Une image possible de lui à genoux, le sang qui aurait rejoint la terre. L'idée qu'il mourrait et laisserait Fine seule. Le jardin mal fini.

Ce s'rait trop con.

…

Il travaille lentement. Son corps à force apprend le bon geste.

Mais à chaque fois qu'il soulève la bêche, elle ramène ces pierres en surface. Des pierres blanches, friables, innombrables. Il y en a des milliers. Dans les clairières, sur le bord des parcelles, sous la mousse, elles sont le matériau dont sont faits les milliers de murettes et de cabanes de bergers, ces millions de pierres du causse. À chaque coup de fourche, il en ramasse encore.

D'où elles viennent, toutes ces fichues pierres ?

À croire qu'il y a une source souterraine qui les produit sans jamais s'épuiser. Peut-être qu'elles gisent au fond de la terre comme une masse d'ossements. Mais pourquoi remontent-elles inlassablement ? Et inlassablement en surface les hommes les repoussent. Joseph se penche, saisit les trois plus grosses et les lance à quelques mètres. Certaines ont des visages fins, modestes, d'autres sont lourdes comme des stèles. Comment se fait-il qu'il y en ait toujours autant ? Que rien ne s'arrête dans cette nature obstinée ?

À la fin de la matinée, il les rassemble au râteau pour en faire une sorte d'écume autour des piquets de clôture. Ça ne sert à rien de s'énerver, elles seront toujours là, comme elles l'ont été dans le passé.

Dire que je voulais me faire sauter l'caisson cet hiver, c'est dingue. T'as bien fait de t'entêter. T'aurais pas vu ce mois de mai de ouf. T'aurais pas récolté tes radis.

Ma parole, ça se fête.

J'vais m'faire un apéro avec un peu de sirop de cassis et mes radis.

V'là, bien lavés.

Croque-z'en un maintenant.

La vache, ils sont forts !

Mes radis, quand même !

Tiens, j'vais en donner un à Chocolat. C'serait bête de pas partager.

…

Ehey, vieeeens, Choco !

Hou hou ! Viiiens là, r'garde ce que j'ai : les premiers radis à Jojo !

Z'y va, tu bouffes ça comme un goret… Et t'as pas l'air d'aimer en plus.

T'es un goret, t'as pas de goût.

Le goût, tu sais ce que c'est ?

Ça te fait marrer, hein ?

…

Fine de son côté s'arrondit. Il est ému rien qu'à la regarder. Il la caresse sans cesse. Il l'asticote, il est si heureux de cette grossesse. Tout est si chargé de fleurs, de promesses, dans ce printemps, qu'il lui est impossible de retenir ce besoin d'embrasser.

Parfois il sent dans son ventre comme des bulles de joie, d'impatience. Les matinées passent dans le travail, dans le soleil et les fleurs. Des grillons sautent quand il laisse tomber la bêche dans les graminées.

Si seulement ce charme au soir ne le rendait pas si tendre, désireux de toute bonté, presque douloureusement. Mais il sait ce dont il s'agit désormais.

Certains soirs, en buvant, le manque d'une conversation lui apparaît si nettement qu'il parle tout haut en longues phrases, comme si Tonio était là. Mais vite une oppression écrase sa poitrine. Les mots se perdent. Ça ne sert à rien non plus. Il faut laisser passer. Se coucher.

Il comprend maintenant, il ne pleure plus.

Il y a le travail. Il aime le travail pour lui-même, pour sa capacité à façonner les journées, à les sculpter par l'effort, leur donnant une forme que le soir il contemple en regardant le soleil éteindre la grande scène des choses accomplies.

Les merles chantent plus fort, il semble.

C'est bien, t'as fait du bon boulot, Jo.

Il est surprenant que ses bras ne se soient pas allongés à force de porter des jerricans d'eau.

Joseph voudrait des ongles plus durs, du cuir à la place de la peau. Alors il serait mieux adapté. Mais il reste un homme avec des besoins d'homme. Il désire. Un enfant. Une femme. Une conversation. Ses désirs remontent dans le domaine, puisque c'est un homme et non un rouge-gorge qui le régit.

Ses désirs remontent, comme ces après-midi où il veut absolument capter la radio. Vous entendre. Ce sont des crises régulières. Une tension qu'il n'arrive pas à retenir plus longtemps. De nouveau, il veut savoir.

Une année a passé, une année entière s'est écoulée. La peur a laissé la place à autre chose, à une autre peur. Il veut savoir.

Sont-ils toujours là ? Que se passe-t-il dans leur Zone ?

Leur monde est-il détruit ?

Il attache l'Abeille sur son vélo. Après la Ferme aux Chèvres, la route oblique à gauche et remonte vers une courte crête. Il laisse le vélo contre un arbre, traverse une clairière pour atteindre une vigie de chasseurs.

Il n'a pas encore testé cet endroit-là.

De là-haut le panorama s'étend sur les collines du causse.

Il ne regarde pas, il appuie sur le bouton FM.

Toujours une minuscule syncope, à ce geste-là.

Mais ne sortent que des parasites. Rien que des parasites.

La déception dure chaque fois quelques secondes de plus que l'autre fois, sur un autre promontoire.

Joseph regarde le soleil se coucher trop lentement.

Aucune lumière nulle part, aucune voix.

…

Est-ce que leur monde est détruit ?

Pourtant ils doivent bien être là, quelque part.

Ce qui l'inquiète, c'est de ne pas savoir où est vraiment la frontière. Elle a peut-être bougé, avancé, peut-être qu'au contraire elle s'étend plus loin – et lui serait encore plus enfoncé dans la Zone interdite.

Parfois Joseph les imagine, réfugiés, enfermés, s'entre-tuant. D'autres fois s'aimant, jouant, badinant.

Il voudrait s'assurer qu'ils sont tout de même là, quelque part.

Jusqu'où faudrait-il aller pour que les parasites deviennent des voix ? Que diraient-elles, ces voix ?

Ah ! Pourquoi ces cons ne veulent pas qu'on capte ?

Il ne peut pas tester trop loin ailleurs, il y a trop à faire à la ferme.

Il contemple le causse qui s'étale, odorant comme une immense mer, si sûre d'elle. La nuit tombe, pas une lumière sur l'océan.

Il repense à son immunité. Cette pensée est toujours séduisante. Il la fait voler dans son esprit comme le rapace qui plane au-dessus de lui.

Un faucon au ventre blanc qui reste planté en l'air en battant des ailes, suspendu comme si une corde l'attachait à un point du ciel. La proie qu'il visait a dû s'enfuir, car l'oiseau rompt son point d'ancrage aérien et se pose sur une branche élevée. Sans efforts apparents, déjà il remonte dans une autre masse d'air, solitaire, si solitaire qu'il efface les autres signes de vie. Il n'a apparemment aucun compagnon dans tout l'univers.

Joseph ne se prend plus pour quelqu'un d'exceptionnel. Il y a forcément de nombreux autres immunisés. Où sont-ils ?

Ils sont loin, très loin d'ici, et sur ce causse couvert de chênes verts, les anciens pâturages sont abandonnés depuis des décennies, les chênes ont pris la place.

Tout est si grand, si vert. Les chênes peuvent tout recouvrir, tout dissoudre, sans personne désormais pour se souvenir.

Une nuée d'oiseaux se posent dans la clairière, disparaissant dans les herbes comme autant de graines jetées d'en haut. Mais dès que les oiseaux voient le faucon, ils repartent dans le couchant, la colonie cherche un dortoir.

Joseph se remémore ses premiers jours à la cabane, harcelé de terreur, de cauchemars, passant ses nuits à visiter les maisons qui sont maintenant toutes un peu les siennes.

Maintenant il a ses potagers. Il a une place dans ce causse. Une place comme jamais il n'en a eu auparavant.

Avec la nuit, son cœur s'apaise. C'est comme ça. Il reprend l'Abeille et se remet sur son vélo.

Il faut rentrer, il fait faim. Fine l'attend. Pour elle comme pour Chocolat, il n'y a que ce monde, ce monde où il prend soin d'eux. Plantera-t-il demain les plants de tomates, ou la semaine prochaine ?

Le dimanche, par discipline, il s'oblige à ne pas travailler. Ce n'est pas évident, il faut prévoir autre chose, sinon l'angoisse peut s'immiscer. Alors il vaut mieux quitter les lieux domestiques, se promener. Remonter le vallon en suivant la Laure.

Allez, décolle un peu de Fine, Jo, elle va pas accoucher, tu l'as lu à la Bibliothèque. Faut plus de deux mois.

Allez, zou, en balade…

…

Ça lui fait du bien de sortir de l'habituel tracé ferme-potager-lavoir. De redresser son corps courbé par les travaux.

C'est un dimanche de juin. Les jours sont longs. Il a pris un sac avec ses jumelles, un peu de son précieux riz dans un Tupperware et de l'eau coupée de sirop. Il a vaguement l'idée de trouver la source de la Laure, mais le ruisseau disparaît sous un pont, dans des broussailles. Il ne peut pas la suivre.

La route reste goudronnée. Une pellicule de poussière commence à la recouvrir, ça glisse, il faut marcher au centre.

Après une chapelle en ruine, sa carte IGN s'arrête.

Alors là… J'vais pas me perdre, je suis sur la route.

C'est la première fois qu'il sort de la carte pour aller ailleurs qu'à Morinte. D'habitude il a toujours sa propre carte, dessinée, et reproduite, où il a détaillé chaque mètre carré du domaine. Aujourd'hui il n'a pris ni crayon ni papier. Il ne veut pas travailler du tout.

Il sent qu'il en a besoin.

Il doit renoncer à ses manies d'arpenteur. Seulement se promener.

C'est joli, quand même, c'est drôlement joli…

Deux pies qui picorent sur le bord de la route s'envolent à son approche et vont se jucher en haut d'un pin à la manière de bêtes de fables.

Les arbres bruissent d'un vent léger. Des cerisiers ici ou là, des pommiers sauvages, laissent un nuage rose sur sa rétine.

La route a beau monter, il ne voit plus la Petite Ferme quand il se retourne pour contempler le chemin parcouru. Des arbres lui coupent la vue. Il pense à Fine, à Chocolat, mais ils sont déjà loin, comme chargés d'une autre couleur de pensée.

Une clairière parsemée de bleuets s'ouvre sur la gauche. Un chevreuil, seul, sort du cadre.

Il n'aurait pas été surpris de voir une licorne.

Mais le vallon se rétrécit, l'inquiétude revient avec le sombre. Après trois tournants où de la boue a sali la route, des maisons apparaissent, et un panneau : SAINT-NOUÉ.

Un hameau est là. Autour d'une seule rue pavée.

Ça alors !

Ce sont des maisons de pierres sèches, humbles, au toit de tuiles bas, comme une Bretagne déracinée.

Une colonie de pinsons passe en piaillant d'un arbre à un autre. Il y a des fleurs au sol, des fleurs sur les murs.

Il n'y a même pas les signes de la déréliction habituelle. Les maisons semblent attendre, les volets fermés, des hommes, ou une autre espèce capable d'entrer.

…

Peut-être a-t-il passé une frontière invisible. Peut-être que ce hameau est apparu pour lui, maintenant.

Un bruit le fait sursauter. Ce sont ces folles hirondelles qui volent en piqué au-dessus de lui. Elles montent et descendent en criant qu'elles connaissent les lieux, qu'elles y nichent depuis longtemps.

Son premier réflexe est de casser les portes pour entrer. Des maisons : ce sont de nouvelles réserves, des placards à visiter, des féculents, du sucre, ce que les souris lui auront laissé. Il pourrait fouiller. C'est une sacrée bonne nouvelle, toutes ces réserves non prévues qui lui tombent dessus.

Mais il aurait l'impression de profaner, c'est étrange.

Il reviendra demain avec la carriole.

Rien ne presse.

On est dimanche, tu voulais marcher. Continue. C'est une belle journée, déjà, d'avoir découvert ça... Une sacrée belle journée.

Joseph se force à marcher, et passé le hameau il continue de meilleure humeur, un peu plus vite. La départementale s'arrête peu après. Il est arrivé au bout du vallon. Il y a bien un sentier qui monte, mais il hésite. Il a toujours eu peur de se perdre dans les bois.

Il n'y a rien à craindre pourtant... Au pire, tu feras demi-tour.

Allez, fatigue-toi un peu. T'as même pas fait ton footing ce matin.

Pour suivre le sentier, il lui faut baisser la tête à cause d'une branche. Le chemin monte entre deux rangées de buis épais. Les feuilles sur lesquelles il marche étouffent le bruit de ses pas. Quelque chose se referme derrière lui, et l'embrasse.

Peut-être qu'il existe des failles sur le causse et qu'il vient de disparaître dans l'une d'elles.

Y'a aucune raison d'avoir peur, c'est charmant ici.

On dirait une allée, cette verdure...

J'voudrais quitter le chemin que j'pourrais pas, les buis sont trop serrés. Suis obligé d'monter au bout.

C'est incroyable, il a des siècles ce chemin-là. On dirait presque qu'il est entretenu tellement il est resté propre.

Mate cette mousse, elle est énorme, mec. On dirait un monstre. Ouais, un crapaud de mousse.

Bah, ça fait plaisir, pour une fois que j'me promène juste pour le kiff.

Maintenant ça s'élargit un peu. C'est fou, ces grands arbres. Ça fait un bail que j'en ai pas vu de si hauts, quand j'y pense.

Je vois plus de cailloux, c'est marrant. Le sol a complètement changé. Ça sent comme le pourri.

Peut-être que l'altitude est différente.

Pourtant j'ai pas monté tant que ça.

Enfin, j'crois pas.

...

Il arrive au-dessus du vallon, sur un plateau qui vite s'incurve, le sentier se perd et finit dans une combe où la mousse embrasse de grands hêtres.

Un tapis de feuilles minuscules recouvre le sol d'une belle couleur vert tendre. Les troncs immenses sortent de cette mer comme autant de mâts. Ils ne laissent passer du soleil que de petites taches de lumière qui, sur cette couverture verte, se confondent avec les taches jaunes de quelques boutons-d'or.

Joseph s'enfonce jusqu'aux chevilles dans ce grand tapis, vite il s'y allonge, c'est trop attirant. Les feuilles forment un matelas frais. Joseph le touche de la paume, ça chatouille, il enfonce le nez dedans. Ça sent le miel, c'est bon et frais comme une gorgée de lait.

C'est beau, ici...

Les arbres semblent encore plus hauts vus d'en bas. Des toiles d'araignées s'y balancent à des hauteurs étonnantes.

Il reste allongé sur ce tapis légèrement humide, jusqu'à ce qu'il ait froid. Alors il mange son casse-croûte, très lentement, comme il sait faire, presque en ruminant.

C'est vraiment magnifique, ici.

...

Il revient tous les dimanches à la combe. Il prend un drap et le pose sur le sol pour ne pas se mouiller. Les arbres au-dessus résonnent de cris d'oiseaux différents de ceux d'en bas. Ce sont des tambourinages, des appels graves et des contre-appels.

Ensorcelé et ravi, il est bien. Il se roule dans l'herbe. Il regarde la lumière passer à travers les troncs. Il aimerait voir des chevreuils. Il aimerait être un chevreuil.

Loin des soucis du potager, son esprit capte ici d'autres ondes.

Il contemple les petites feuilles luisantes de ce lierre étrange, comme un long chèvrefeuille horizontal, dont il ignore le nom et qui couvre la terre.

D'autres jours, ce sont les arbres qui le fascinent. Ce sont des arbres droits, forts, non plus ces chênes tordus qui sont légion dans le bas du causse.

Ces grands arbres oscillent lentement, balancés par le mouvement du vent dans le houppier. S'il plaque son oreille contre leur écorce, il entend à chaque oscillation comme des chutes d'eau répercutées sur des roches intérieures. S'il suit les coulées de bêtes sauvages, elles finissent par le perdre dans des buissons où sa grandeur l'empêche de passer. Il faudrait qu'il ait quatre pattes et non pas deux.

Après son pique-nique, il finit par se sentir bizarre. Il y a dans cette combe fraîche une sorte d'intimité entre les plantes, la terre et les insectes, une intimité des coulées de chevreuils et des toiles d'araignées. Une correspondance entre ces millions de feuilles et les grandes orgues des arbres, une intimité qui le repousse doucement.

Peut-être que, la nuit, il comprendrait ce langage.

Au fur et à mesure qu'il redescend de la combe, Joseph retrouve ses préoccupations d'homme. À Saint-Noué, il prend une boîte de conserve. Il laisse le sucre sur place, pour s'obliger à n'en manger que le dimanche. À la ferme, l'ensorcellement prend fin. Fine et Chocolat sont là, il les trouve différents, ils sont plus familiers. Plus domestiques, en somme. Il faut faire le repas du soir. Il oublie la combe jusqu'au dimanche suivant.

Qu'est-ce que t'as, ma grande ?

Qu'est-c't'as à miauler et à rôder comme ça ?

Oh putain, je le crois pas ! Tu vas accoucher !

…

Attends, je vais te mettre une caisse.

Voilà, tu seras mieux que dans le lit. S'il te plaît.

O.K., je pose la cagette sur le lit. Tu préfères. N'aie pas peur. Je t'ai mis des lainages. Voiiilà, tu seras bien là.

Oh oui, je reste là. J'vais t'aider.

On va faire ça tous les deux.

Ça va aller, ma belle, calme-toi. Je suis là. Je suis là…

Mais oui, je reste avec toi, j'ai compris.

Tu veux pas que j'te touche ? D'accord, d'accord. On va causer. Je vais te parler. Tiens, je prends la chaise, je m'assois là, à côté de toi.

Du courage, Finette, tu vas y arriver.

J'vais juste allumer les lampes de poche, hein.

Mais non, ne miaule pas comme ça, tu me fais de la peine. Il fait nuit, faut bien qu'on y voie quelque chose. Qu'on les voie, tes bébés, quand ils vont sortir.

Ah, tu te relèves maintenant, tu as mal ?

…

Oh mon Dieu, y'en a un qui sort, Fine ! Voilà, continue.

Oh mon Dieu, j'y crois pas, il est sorti !

Il est né !

…

D'abord un tigré, puis un gris. Un troisième chaton est mort-né, Joseph l'a vite enlevé de la corbeille.

Fine mange le placenta.

Joseph a eu peur que les autres soient malades. Ils bougent peu. Maintenant ils respirent. Ça y est, ils bougent, ils sont là, avec leurs yeux fermés. Deux boules de poils mouillées aux mains en crevettes, avec une lourde tête pendante qui cherche le sein.

Joseph aide le premier qui suçote au mauvais endroit. Le chaton trouve alors la mamelle. Joseph ressent une émotion chaude dans tout son corps.

Fine est épuisée. Bientôt les nouveau-nés s'endorment. Joseph enlève délicatement les laines salies de sang. Il a participé, il s'en souviendra de cette nuit.

Il les regarde tous les trois. Une tendresse irradie de la cagette, une plénitude qui le fait étrangement souffrir.

Fine veut rester seule maintenant.

Joseph ne peut pas dormir.

…

Chocolat le regarde de sa pupille horizontale. Il n'a pas l'habitude de recevoir de la visite la nuit. Mais il fallait que Joseph le dise à quelqu'un, qu'il partage sa joie.

Deux chatons ! Mon gars, c'est fantastique !

Chocolat se recouche une fois qu'il a mangé son maïs.

C'est fantastique !

…

Chocolat a un comportement étrange les semaines suivantes. Il cogne des heures durant contre le râtelier. Il fait le tour de la parcelle en courant. Il bêle même quand il a à manger.

Fine, depuis la naissance de Tigre et Noisette, est trop occupée pour venir se jucher sur un poteau de clôture et approcher son visage du sien, comme elle le faisait d'habitude. Chocolat doit se sentir abandonné.

Joseph le conduit une fois par semaine dans la cour devant la terrasse, pour qu'il broute l'herbe. C'est agréable, une cour bien tondue.

La première fois que les chatons sortent dehors, un mois plus tard, Chocolat est là. Le mouton renifle ces deux agneaux à l'odeur de bébé : ils ont une taille ridicule, semble-t-il dire en agitant ses oreilles. Mais il fait très attention de ne pas leur marcher dessus.

Tigre, comme souvent, est le plus courageux. Il ressort du pot de fleurs où il s'était réfugié pour revenir voir cette bête immense. Noisette se couche dans l'herbe, elle s'immobilise à plat ventre, comme si ça la faisait disparaître des regards. Fine vient l'en sortir avec des airs de mère encourageante.

Joseph, depuis la terrasse, contemple sa petite famille.

Tigre et Noisette sont un peu ses enfants, mais ils sont aussi ses frères et sœurs.

Avec eux, on peut poursuivre une pelote de laine. Se dissimuler derrière une armoire et crier Bouh ! Voir Tigre sauter de terreur, puis revenir les pattes raidies dans des bonds nerveux. Si Joseph abuse de ces jeux, Fine vient les chercher par le cou.

Ça va, Fine, on s'amuse !

J'fais rien d'mal !

…

Pour Tigre, tout ce qui peut se grimper, ça se grimpe. Quitte à miauler dans le grand lierre, car on ne sait pas redescendre.

Pour Noisette, un bouchon en liège devient une antilope, on s'approche le poil hérissé, comme les grands, pour le taper d'un revers de patte. Puis on s'enfuit si vite qu'on se cogne contre la porte.

Ah ! T'es trop, toi !

Sur les nattes que Joseph a mises au sol, les chatons jouent à se battre. En grandissant, ils s'intéressent à ce que Joseph fabrique dans l'appentis, ils viennent voir les derniers changements de chandelle. Ils sont curieux de tout.

C'est difficile de ne pas rire en les voyant s'approcher de la bougie et s'y brûler le bout des moustaches.

L'homme ne se souvient pas d'avoir jamais été si heureux, d'avoir jamais vu d'autre famille aussi joyeuse.

Une autre époque s'est ouverte avec leur naissance.

Le matin, les retrouver lovés dans leur cagette. Après une journée de travail, les rejoindre enfin, voir quelles bêtises ils ont faites dans la maison. Se pencher et attraper ces petites boules de poils, les triturer, les embrasser. Leur donner toute une tendresse ressuscitée.

Noisette a compris plus vite l'intérêt de cette caresse, elle a compris qu'elle fait partie, comme le lait de sa mère, l'angle des chaises, l'ouvert du ciel et le fermé de la pièce, d'une vie de chat, et que l'homme touche, nourrit, protège, parle.

Pour Noisette comme pour Tigre, le Domaine est là depuis toujours. Il n'y a jamais eu de Catastrophe. Et, l'humanité, c'est cet homme, il n'y en a jamais eu d'autre. Joseph est l'espèce humaine tout entière.

Le grand potager se met à donner.

Pas le temps de rien fêter malgré les dates prévues au calendrier.

C'est la récolte, récoltes sur récoltes, haricots verts, courgettes et tomates. Le soir, le goût des légumes qui circulent dans son corps réveille en lui des parties oubliées et voraces.

Les mûres et les framboises donnent aussi. Les baies mûrissent dans les fourrés. Il a noté les coins où elles rosissent.

Il doit prendre au domaine tout ce que celui-ci peut lui donner. Cultiver le ciel, traire la terre.

Il sent l'eau quand elle tombe, l'eau qui glisse à travers les plaques calcaires et vient jouer de l'écho dans la Fontaine Claire, circule dans le lavoir, entoure ses truites et vient gorger la Laure. Il sent les nappes, l'eau des flaques, l'eau des feuilles. Il voudrait avoir une bouche assez grande pour boire d'un coup toute la rosée de la clairière.

Avant, la pluie, c'était la pluie. Parapluie; gouttes sur les vitres; prendre son imperméable; éviter de se salir. Quelque chose d'embêtant, mais de secondaire, qui n'affectait en rien son existence. Maintenant, la pluie, c'est le potager, et le potager, c'est la faim.

Il est indispensable de ramasser et de transformer les légumes, de les faire bouillir dans de grandes marmites.

Il a du travail. Beaucoup de travail. Mais tout s'accomplit en son temps.

C'est un homme couvert de temps.

...

Il n'a plus à se presser. Il peut s'interrompre pour regarder un changement de lumière ou repousser de la binette les chatons qui gambadent dans les pommes de terre.

Comme si le domaine lui redonnait le temps volé. Et un espace plus grand.

Depuis qu'il est monté à la combe, Joseph n'a plus peur de marcher dans ses sentiers. Il prend à travers champs. Sa silhouette trace une diagonale au milieu des herbes.

Quand il a fini sa journée, il va se baigner. Il prend à travers les Pelouses. Il a créé une sente personnelle qui le mène à la Laure en partant de chaque potager.

Il se glisse dans le ruisseau. Même si l'eau est basse, elle lui suffit pour s'y couler. Nu en pataugeant, s'envoyant de l'eau au visage, se frottant les pieds sur les cailloux, en gloussant, en criant parce qu'elle est glaciale.

Quand il est rafraîchi, propre, il reste recroquevillé, nu au soleil d'été.

Le soleil sécrète sur les galets une délicieuse sueur. Sur l'autre berge, un merle retourne les feuilles.

L'homme ne pense à rien. Il regarde l'eau sans cesse descendre, descendre et ne jamais s'épuiser. Il a conscience de ses pieds posés sur la grosse pierre et des différentes parties de son corps, froides ou chaudes, selon les rayons du soleil. Bientôt son esprit devient incapable du moindre commentaire, même le plus factuel – Il fait plus chaud qu'hier… Mon pied est égratigné… Ses pensées s'arrêtent, cinq, dix, vingt minutes. Son regard a quelque chose de l'oiseau, de l'arbre au bord du ruisseau. Quelque chose de jadis singulier s'éclipse. Le domaine prolonge ses racines en lui.

…

Jusqu'à ce qu'un bruit extérieur brise l'enchantement. L'homme alors se meut, réapparaît. Il a des soucis qui le possèdent à nouveau, dirigent à nouveau ses idées. Souvent il pense au repas du soir, au lendemain. Une décision fait bouger ses bras, mouvoir sa volonté vers les gestes nécessaires à sa survie.

9

Il y a un vieux verger près de l'ancienne cabane, un verger détruit par une très lointaine tempête, fracassé et laissé là, troncs penchés, branches à terre, comme autant de bras coupés.

Joseph y trouve encore des abricots trop mûrs, des prunes, quelques pêches. Il en ramasse une brassée et s'assoit sur un muret pour les manger. Il pourrait aussi faire des confitures. Mais le domaine lui conseille de se gorger de sucre tout de suite, que c'est le moment.

C'est vraiment l'été.

Le vert tendre s'est fait vert sombre. Jaune par instants brûlé.

Les branches gonflent, les abeilles s'abîment dans les lavandes. Les pissenlits mourront une fois leurs graines éparpillées.

L'air sent le thym, la chaleur.

Un lézard prend le soleil sur une pierre chaude à côté de lui. Son pouls palpite sous la membrane blanche de sa mâchoire.

Le soleil dessine les ombres des arbres sur les herbes piquées de fleurs, qui lui paraissent aussi réelles que les arbres eux-mêmes.

Ces arbres semblent tellement infatigables. Ils ont résisté à toutes les bourrasques. N'ont-ils jamais envie de baisser les branches ?

À cet instant, Joseph n'a même plus besoin de lever la tête ; il devine chaque nuage passant devant le soleil.

...

À cet instant, quand l'homme à nouveau a une pensée – c'est à propos de ces ronces et de ces broussailles.

Elles ont tellement monté cet été !

Il s'est fait griffer en s'approchant des pêchers. Bientôt il ne pourra plus en ramasser les fruits. Cette pensée lui fait souci.

Ouaip, ça devient la jungle ici.

Griffé, égratigné, piqué ; les épines envahissent ses chemins. Il voit des serpents fuir devant lui quand il grimpe ici.

J'aime pas les snake, ça craint.

C'est le chaos. Comment j'pourrais défricher tout ça ?

Il est trop seul pour un travail si considérable. Il n'a plus de pétrole dans ses débroussailleuses, ces fichues machines avec lesquelles il a eu si peur de se blesser.

Même avec l'aide de Chocolat pour tondre les Pelouses en bas, ça prend un temps fou. Le mouton n'aime pas être trop souvent déplacé. Et il ne broute pas toutes les herbes.

Chaque petit amas de ronces lui demande une heure de peine pour le défricher.

Le domaine a plus de force que lui.

…

Dans le potager, s'il y pense, ça a poussé *tout seul.* Avec de minuscules graines, il a obtenu des haricots qui donnent encore. Toutes ces récoltes, sans autre apport que la terre, le soleil et l'eau. D'où vient-elle, toute cette matière vive ? Comment se fait-il qu'il y ait quelque part une énergie assez forte pour faire grandir ces plantes, qu'elles portent du fruit, et qu'elles le narguent, lui qui ne grandit plus en taille et qui doit péniblement lever les bras avec le coupe-branche ?

Avec le coupe-branche, avec le sécateur, avec la faux. C'est un travail accablant.

J'aurais dû m'y mettre cet hiver, avant que ça parte en sucette…

Ses doigts sont couverts d'ampoules, il pensait pouvoir se reposer après les récoltes, tu parles. Il fait les foins à sa manière. Il amasse les herbes dans la bergerie quand elles sont sèches.

Il ne sait plus s'il régit le Domaine ou s'il en est l'esclave.

Trois corbeaux en haut d'un pin le regardent se battre contre les ronces et il croit entendre de la moquerie dans leurs cris.

La végétation croîtra, croîtra, croîtra, semblent-ils dire.

En les faisant céder sous la faux, Joseph sent immédiatement les herbes se remettre en branle pour survivre. Les racines, les graines, les radicelles, toutes ces ronces obstinées, comme les branchages chevelus des arbres, tous ils se ruent sur le soleil et sur la terre, ils creusent et poussent à nouveau, dans la terre et dans le ciel, pour reformer, à peine entamé, cet immense filet autour de lui qui le protège et qui l'asservit.

Les odeurs d'été excitent Tigre. Il passe la journée dehors. Les abeilles sont excitantes, il les poursuit, le nez en l'air, quitte à finir dans la parcelle de Chocolat en galipette avant.

Un après-midi, Joseph étant sur la terrasse en train de faire sa lessive, il entend un miaulement horrible.

Tigre !

T'es où ? Tigre !!!

Non !… Lâche-le, salaud !!!

…

Joseph voit décoller le rapace aux grandes ailes noires, avec le chaton pris dans ses serres. Il le voit s'envoler devant lui.

Une buse ? Un faucon ?

…

Salaud ! Salaud, reviens !

Putain, il va le bouffer, putain !!!

Tigre !

J'y crois pas, quelle horreur…

Mon chaton !

…

Joseph sent les larmes lui brouiller les yeux. Il a envie de vomir de chagrin. Il se met à hoqueter. Sur l'herbe il reste une trace de sang et l'oreille déchirée de son petit frère.

La buse avait l'habitude de tourner autour de la maison.

…

Là-bas la Laure coule sans se détourner.

Le domaine n'a pas pleuré.

Le rapace elle-même ose revenir survoler la cour. Une femelle, sans doute, qui nourrit ses propres petits.

Il va prendre son pistolet et pour la première fois il tire en direction du ciel. La détonation, en ratant sa cible, scinde le vallon en deux époques.

…

J't'aurai, crevard. Salopard de rapace, j'vais te crever. T'avise pas d'revenir.

J'en ai rien à foutre, j'vais tous les buter. J'vais en faire du pâté, moi, de ces buses de merde, tu vas voir. Y'a pas assez d'quoi manger dans le causse, sérieux ? Un chaton, putain, z'ont pas d'morale !

Ils me l'ont bouffé comme un steak.

Ahhhh ! Putain, j'ai envie d'tout casser !!!

Le soir, son corps entier tremble. Joseph a les yeux fixes. Terrifié soudain, il attend. Il écoute le moindre bruit. Il a tiré plusieurs fois en l'air et l'écho des détonations semble résonner dans la nuit, avec les conséquences. Peut-être que d'autres ont entendu, d'autres oreilles, et vont venir vers lui. Peut-être que ce jour est le dernier, le dernier, qu'un malheur n'arrive jamais seul.

Putain, te dis pas ça ! Tu verras bien…

Garde bien ton arme.

Mais les jours passent et rien.

Le domaine impassible, le causse muet.

…

Et toi, Fine, tu ne vois rien ? Tu sais pas compter jusqu'à deux ?

À quoi ça sert d'être la mère ? T'aurais pas pu rester près d'eux ?

Tu le cherches pas ? Tu fais même pas semblant ?

Depuis trois jours, t'as pas tellement changé d'comportement. À croire qu'ça t'arrange ! Tu voulais qu'il déguerpisse de ton territoire ?

…

Et toi, Noisette ?

Toi t'as eu l'air perdue, toi, quand même.

Tu le cherches, ou y'a qu'à moi qu'il manque, ton frère ?

La maison est plus calme, ça me crève les yeux. Ça me crève le cœur, putain. J'vais prendre une cigarette, tant pis.

…

J'ai rien pu faire.

Si j'l'avais shooté, ce salopard, même en plein vol, Tigre il serait mort en tombant par terre de si haut.

J'ai toujours trouvé ça louche, ces rapaces qui sont partout. Mais j'avais pas pigé que ce sont des salauds. Un chaton ou un mulot, pour eux, c'est d'la viande.

J'aurais dû le surveiller de plus près, je m'en veux tellement.

Y sont pas assez grands pour que j'les laisse tout seuls.

Si j'avais pu imaginer ça, quels salopards, quels rapaces !

En tout cas, ils auront pas Noisette, non.

Que je crève s'ils me la prennent. Ils l'auront pas, ces salauds.

Noisette est grise, toute douce. Elle ressemble à sa mère par sa délicatesse, en plus rigolote. Il s'attache encore plus à elle.

Joseph lui a installé une litière à l'intérieur, comme les chats des villes. Le matin, avant d'aller travailler, il l'enferme dans la maison.

Le soir, il la laisse gambader dans la cour fermée. Depuis la terrasse, il surveille le ciel jalousement avec la carabine prise à la maison du Psychopathe.

Comme se réduit le périmètre de sa liberté, Noisette devient peu aventureuse. Elle ronronne sur le fauteuil. Elle est plus domestique que Fine qui aime à marcher dans la forêt.

Mais elle est jeune encore et il ne pourra pas être toujours là pour la protéger. Joseph a le cœur qui se serre en y pensant. Il voudrait lui dire de faire attention aux prédateurs qui sont partout, de faire attention aux serpents, que le monde est méchant, qu'il faut rester près de lui.

Saloperie de végétation.

J'me casse le dos…

Car il faut défricher encore. Endurer l'été jusqu'au bout. Continuer, serrer les dents, arroser, vider et remplir à nouveau les jerricans.

Joseph regrette de ne pas être une bête, de ne pas être un chevreuil se nourrissant de feuilles. Il regrette que ce soit lui qui doive diriger la ferme, s'occuper d'un mouton noir, de deux chattes innocentes et de sa propre subsistance. Il aimerait transmettre sa charge à une espèce supérieure qui aurait à son tour protégé sa vie.

Contre les ronces, contre les vipères, contre les trous cachés par les herbes où on se tord la cheville, contre les orties qui piquent et contre la chaleur qui assomme.

Contre les guêpes hargneuses, les sangliers raclant la terre. Les mouches entrant dans les branches mortes pour en refaire de la nourriture. Contre les prédateurs dévorant les enfants des bêtes.

Autant qui meurent, autant qui naissent, et le domaine, indifférent.

À Saint-Noué, les petites hirondelles sortent leur tête noir et blanc de leur nid. Elles se sont nourries d'insectes à moitié morts que les parents leur ont fourrés dans le bec.

Cinq petits moineaux mal plumés se tiennent maladroitement sur une branche. La nichée s'envole quand l'homme passe près d'eux.

Mais ne vous envolez pas, par pitié !

Je regarde, c'est tout !

…

Combien de siècles sans crime faudra-t-il pour que s'abolisse la peur de l'homme ?

Dans les haies, c'est un grand accaparement familial par les soins, les premières sorties, le nourrissage. Les araignées tissent leurs toiles de guillotine, elles viendront se gaver, à l'aube, des grillons qu'elles auront capturés.

Joseph sent jusqu'à l'avidité des framboises à mûrir. Quand la Laure s'allonge, la grenouille attend la chute de la libellule. Personne n'est là pour faire joli, ils sont là pour vivre.

Vivre, vivre ! Voilà ce qu'ils disent tous. Vivre à tout prix, et, s'il le faut, assassiner.

Jusqu'à l'écureuil qui a mangé les noisettes avant lui.

Les deux rouges-gorges se battent pour qu'il n'en reste qu'un. Sur la mangeoire, la mésange bleue chasse la charbonnière. Les chatons partageaient le lait dans l'écuelle. Pourquoi les oiseaux ne peuvent-ils pas en faire autant ? Quelle damnation poursuit dans sa brutalité jusqu'aux bestioles les plus minuscules ?

10

La farine est sortie de son existence, puis les pâtes, puis le riz. Il doit se rationner en thé, en café, en sucre.

L'arrêt du sucre le rend nerveux, mais il a toujours sa cigarette quotidienne.

…

Putain qu'c'est bon.

Rien d'mieux qu'une clope après l'repas.

Bon, le repas, c'est pas l'palace.

Ça va, pour les légumes, j'ai les bocaux. J'vais pas manquer tout de suite de haricots.

Non, le blème, c'est les féculents et le sucre. L'huile, ça devrait aller. Du sel, j'en ai. J'ai du gaz. En fait, c'est surtout le sucre, le riz, les pâtes, la semoule.

C'que j'donnerais pour d'la farine… Tu te rappelles, Fine, mes p'tites crêpes ?

Et du sucre pour les confitures. Si j'avais du sucre, j'pourrais garder les fruits pour cet hiver, avec des confitures.

Putain si j'avais du pain, du fromage, des œufs ! Ahahh, pense pas à ça.

Fine, viens là, viens me faire un câlin.

…

À Morinte y'en a plus de la farine… D'toute façon, j'ai déjà ramassé tout ce qui s'mangeait.

Rien qu'à l'idée de descendre à Morinte, j'ai envie de m'tuer. Sérieux, c'est trop mortel.

De tout'façon la carriole elle passe plus. Y'a des branches partout sur la route. J'ai vu ça au dernier orage.

Bah, j'vais m'débrouiller. J'vais ramasser les noix, j'vais tuer des lapins. Ces connards de lapins, y zont jamais voulu baiser en cage. Les collets, c'est pas fiable.

Je vais en tirer un au bout des Pelouses.

Fais pas la tête, Noisette, viens là. Viens avec nous faire un câlin.

…

Au fond, j'aurais dû le faire avant, ils sont faciles à tirer.

Fallait le faire. J'ai trop d'carences, j'deviens marteau.

C'est toujours aussi dégueulasse ces entrailles.

Quel massacre.

J'ai la dalle en fait.

C'est pas un problème d'avoir un peu faim. Chuis habitué. Mais là j'ai les crocs. J'ai plus de féculents. J'ai plus de riz ni d'sucre. Heureusement, j'ai du gaz. En fait, c'est surtout le sucre.

Si j'avais du sucre, j'pourrais faire des confitures…

…

Après les coups de feu, il ne se passe rien. À se demander pourquoi il avait si peur avant.

Il n'y avait pas que la peur, il y avait autre chose.

Tirer avec une arme ne déclenche qu'un petit plaisir, une sorte de vengeance. Mais aucun drone survolant la ferme. Aucun autre rescapé s'approchant une arme à la main, ou une main désarmée, tendue vers lui.

Depuis la vigie de chasseurs où il tire les lapins, la nuit commence à tomber.

Aucune lumière nulle part.

Aucun regard vers son visage.

A-t-il encore un visage ? Pour Chocolat, Fine et Noisette, ce qui compte, c'est son odeur, sa voix, ses gestes. Il pourrait se réveiller un matin le nez à l'envers ou la peau noire, il sait que ça ne changerait rien.

Ce n'est pas leur monde qui est détruit, c'est lui qui a disparu

Dans les milliers de feuilles qui tombent autour de lui, il a disparu.

Dans la vigne vierge qui s'empourpre autour de la grange.

Dans les lianes qui bouchent les sous-bois où il passait.

Il a disparu, peut-être dans la pluie. Dans le vent qui souffle et décroche les feuilles mourantes.

Dans les couleurs – ambre, rouge feu, argent, jaune paille, bleu même – des lichens qui ornent les pierres.

L'automne revient.

Quelque chose l'appelle dehors. La plante qui est en lui, la pierre et l'animal lui demandent de vivre en plein air.

Il vérifie le lavoir, il améliore la bergerie, il coupe du bois pendant des heures. Toutes les semaines, il mange une courge.

Pour que l'isolation de la maison soit parfaite, il double les murs d'un empilement de bûches. Noisette s'amuse à monter dessus.

Puis ce sont les cueillettes où il s'oublie. Il oublie le passé lointain, le passé récent. Il pense juste à ce qui tombe des arbres, ces noix et bientôt les châtaignes.

Quand les rayons du soleil éclairent les bogues de ce qu'il nomme le Grand Châtaignier, près de la Bibliothèque où il n'entre plus, il ramasse, en se piquant les mains, ces châtaignes qui lui serviront de pain, alors un sentiment de satisfaction se répand dans son ventre.

Ce n'est peut-être pas du bonheur, juste une réaction au soleil qui n'a rien à voir avec sa raison, un réflexe d'animal.

…

Mais il est un homme. Le soir, faire griller les châtaignes, se recroqueviller près du feu.

À nouveau le feu après des mois d'absence. Alerte, vivace, rougeoyant, retrouver sa présence. Le feu intrigue Noisette qui voit les flammes pour la première fois. Fine le reconnaît et se chauffe sur le tapis.

Ils mangent ensemble le lapin de la semaine. Sa recette est au point.

C'est normal de partager, il ne peut pas garder les restes, il y en a trop.

Le chagrin de la mort de Tigre tombe avec la chute des feuilles. De même parfois, il se demande où est passée la haine, la haine qui est à l'origine.

...

Il se peut qu'il ait vécu autrement, autrefois. Il se peut que quelque chose continue ailleurs. Qu'il ait été un autre ; un fils, un frère, un prisonnier, mais ça devient une chose de plus en plus impensable.

Joseph lève son regard vers la fenêtre.

Le crépuscule est si rouge et si puissant qu'il voudrait se rouler dans le ciel comme on se roule dans les champs.

Il pense alors au plaisir qu'il y aurait à dormir dans la combe.

Depuis cet été, il s'est construit sur place un abri de branchages pour y dormir.

C'est toujours une décision rapide, au dernier moment.

...

J'y vais cette nuit.

Bientôt ça pèlera trop.

J'prends mes jumelles, la couverture de survie.

Ouaip, j'mange un bout avant de partir, j'prends juste le thermos avec la tisane.

Fine, miaule pas ! Je sais que t'aimes pas ça.

Tu restes près du feu, j'ai mis des bûches, t'auras pas froid. T'es au chaud avec Noisette, vous serez bien.

Je vous enferme, mes chéries. Je serai de retour demain matin.

C'est une manière de s'oublier encore.

Dans la combe où il n'y a rien à cultiver, rien à défricher ni à récolter.

Dans la combe où Tigre, il peut un instant le comprendre, est mort pour que d'autres vivent.

Joseph s'assoit près de son duvet. L'obscurité l'emmitoufle vite.

La nuit avale les troncs. Le sol devient gris et disparaît. Le bruissement en haut des arbres monte d'un ton. Une chauve-souris zigzague. C'est un mélange de peur et de ravissement.

Il se demande comment les arbres le perçoivent de leurs yeux-racines, de leurs branches-oreilles. Ils doivent se demander ce que fait cet animal étrange à leurs pieds.

Quand le cri de la chouette retentit, les proies se cachent. Dans son duvet, Joseph met ses bras autour de son torse pour se donner plus de chaleur.

Les étoiles, là-haut, sont visibles ou invisibles, selon le mouvement des branches. Elles le voient, si elles veulent. Un souffle plus vaste que le sien s'ouvre. L'homme mêle son petit souffle au vaste souffle de la forêt.

Les mastications de feuilles continuent. Dans ses rêves l'homme monte à ces arbres, il écarte les branches du houppier, et voit là-haut des géants cornus à têtes de chevaux.

...

Cette nuit-là, un orage a frappé, l'a trempé, l'a secoué. Il s'est rendormi tard.

...

Son réveil est un long tremblement. La brume affleure sur la mer végétale, il ne pleut plus. Deux chevreuils broutent à quelques mètres de lui.

L'homme se frotte les yeux.

Il a à peine bougé. Mais déjà la chevrette a senti sa présence et s'enfuit. Le jeune brocard la suit.

Il ne pourra jamais que frôler leur monde, l'entrapercevoir.

...

Joseph craint l'hiver qui arrive.

Si seulement il pouvait suivre la chevrette. Apprendre son langage.

Peut-être y a-t-il une autre voie. Peut-être devrait-il marcher plus loin dans la combe, fouiller chaque mètre carré comme un sanglier sait le faire. Peut-être, en cherchant bien, y a-t-il une source où s'enfoncer, oublier qu'on est un homme en se baignant dans des eaux luminescentes. Oublier que l'ancienne branche du temps doit continuer quelque part. Qu'il y a là-bas des hommes et des femmes avec qui parler.

…

À moins qu'ils ne soient tous morts. Qu'il n'y ait plus d'autre zone. Peut-être qu'une seconde Fissure s'est ouverte et a englouti ceux qui étaient encore vivants. C'est terrifiant, s'il y pense, l'idée d'être le dernier. Mais comment savoir jusqu'où est allée l'inversion des pôles depuis la Catastrophe ? Peut-être ne reste-t-il que lui, entièrement seul sur l'entièreté de la Terre.

C'est difficile de se rappeler.

Comment savoir s'il a tué, vraiment tué ce flic ? Peut-être s'est-il réfugié au domaine sur une simple hallucination. Peut-être que les radiations n'ont jamais existé. Que seul Chocolat connaît la vérité et qu'avec les écureuils ils se passent des messages en un langage commun aux pies bavardes. Rien ne peut l'assurer du contraire.

Peut-être est-il entièrement seul pour l'éternité.

À moins qu'il ne soit mort lui aussi – un mort incompté vaut bien un rescapé – et qu'il tourne indéfiniment dans une zone tierce.

Ou peut-être que personne n'est mort, et que des Juges l'ont envoyé ici pour une expérience que des grands dieux muets à grandes cornes regardent depuis les étoiles en mâchant divinement une longue herbe magique.

Rien ne peut l'assurer du contraire.

11

C'est après Saint-Noué qu'il a senti l'odeur de brûlé.

Son cœur se décroche.

Il laisse tomber son sac et il court.

…

Son cri n'est pas un cri de bête, c'est un cri d'homme. Long et modulé de façon atroce, il résonne dans la Petite Ferme détruite.

…

Le feu a tout brûlé.

La ferme est noire et fumante.

La moitié de la pièce est enfoncée en terre comme après un bombardement.

…

La cour est noircie de suie, les flaques bavent sur les cendres. L'orage a arrêté le feu, mais…

Fine…

Les chattes !

Il entre quand même dans sa pièce, un côté du toit tient en équilibre.

Dans le noir, il reconstitue ce qui s'est passé.

Le feu a dû prendre quelques heures après son départ. Depuis la cheminée, des braises ont dû tomber sur la natte. La natte s'enflamme, de longues flammes d'un coup et la fumée devient noire, et les horribles miaulements.

Noisette…

Tout a brûlé à l'intérieur.

…

Les chattes étaient à l'intérieur.

Peut-être qu'elles sont mortes suffoquées avant que…

Tout était fermé.

…

C'est son hurlement à lui.

Il voit…

C'est arrivé.

C'est un cadavre noir.

Elles sont mortes étouffées, non brûlées. Si ça peut le rassurer, l'orage leur a épargné cette souffrance, tandis que lui dormait sous son abri de branchages.

Il croit entendre les horribles miaulements des bêtes prises au piège.

…

C'est un homme sali, noir, couvert de suie, qui pleure.

Il ne pense pas à la ferme, mais aux chattes enfermées cherchant à s'enfuir, à éviter le feu, et qui étouffent.

…

Puis il lève la tête vers le désastre.

Chocolat a disparu. Les flammes étaient trop proches, il a dû courir, s'affoler, parvenir à sauter par-dessus la clôture.

En sanglotant, l'homme l'appelle.

Chocolat !

Chocolat est parti. L'homme a échoué à le protéger.

Le vent soufflait l'odeur de la fumée vers Morinte, de la combe il n'a rien pu sentir, rien pu faire.

Le feu s'est propagé par le conduit. Il a brûlé toutes ses réserves de nourriture, de piles, jusqu'au vélo qu'il mettait au sous-sol et dont les pneus ont éclaté.

…

Tout est noir à l'intérieur de lui.

Les sanglots tracent des lignes grises sur son visage noirci.

Il reste à gémir dans la cour au lierre consumé.

Le mot *incendie* ne lui vient pas à l'esprit.

La seule chose, c'est :

Qu'est-ce que je foutais dans la combe ?!

…

C'est une souffrance où son cœur s'empale et qui rend le cerveau débile, qui fait jaillir les sanglots.

Fine ! Noisette ! Pardon.

Oh pardon…

…

Il reste hébété des heures, le visage encollé, douloureux.

Il se brûle la main en touchant les cendres.

Il tombe dans la paille épargnée.

Qu'est-ce que je foutais dans la combe ?!

Il ne peut se lever, ni manger, ni fermer ses immenses yeux blancs devant l'abîme.

…

Son calendrier s'arrête ce 27 octobre.

Que le jour se lève encore est insultant.

…

Il n'a rien pour soigner sa main brûlée.

Où et quand s'est-il brûlé ?

Ah, s'il pouvait être mort avec ses deux chattes, plutôt que de devoir soigner ce corps qui fait souffrir, ce corps lourd qu'il faut soigner malgré tout.

Il se rappelle la pharmacie de secours à la Cabane, il doit y monter.

…

En se réveillant dans la cabane sans eau, sans douche, sans nourriture, le sentiment d'une immense régression, d'un effroyable manque lui coupe le souffle.

Il voit ses vêtements de la veille couverts de cendres.

Il vomit son thé tout de suite.

C'est la pensée de Fine qui le fait le plus souffrir. Noisette est comme un souvenir déjà, alors qu'il reste des heures à tourner sa pensée sur Fine. Elle, morte terrorisée, dans un coin, étouffée par la fumée.

Ma Fine, oh pardon, pardon…

Tout ce qu'ils avaient vécu ensemble, son arrivée, ses habitudes, ses semaines de désespoir l'hiver dernier, son accouchement à elle, tout ça pour que dans la nuit il l'abandonne et qu'elle se mette à miauler de terreur, les flammes l'emprisonnant. Elle n'est plus là. C'est une pensée dure comme une roche où son esprit revient se heurter.

Jamais plus il ne verra Fine sauter sur la table le matin pour demander à manger. Jamais plus sa démarche noble quand elle revient de la chasse aux souris, et ses caresses, le soir, avant de s'endormir. Plus personne pour le toucher. Hier, elle était près de lui. Elle faisait partie de son existence, et aujourd'hui elle est morte. C'est terminé, terminé !

Ce fait irrémédiable le révolte et l'assomme en même temps.

…

La cabane n'est pas chauffée ; il mange une noix, deux pommes sauvages.

Ses mains tremblent.

Ses cheveux sont sales et longs.

Il n'a plus de visage mais des orbites noires.

…

Autour l'automne, indifférent.

La mousse continue de s'étendre. C'est la saison.

12

Alors il se met à errer comme un vagabond.

C'est la faim d'abord qui le pousse.

Il est très affaibli. Il prend dans un sac une bouteille d'eau, un couteau, un sac de couchage, et il part.

…

Il se remet à pleuvoir.

Le premier soir, il va à la maison de la Maniaque. Il avait laissé en réserve deux vieilles boîtes de sardines. Il les dévore à mains nues et dort sur le canapé. Dans cette maison, chaque pièce a son téléviseur, noir et immobile. Il donnerait trente ans de sa vie pour en allumer un et rien qu'un instant, oublier qu'il est vivant.

Il répugne à l'idée de devoir se réveiller. Lever ses bras, boire et manger.

Puis il va en face, à la Maison des Enfants. Rien à manger que les rats n'aient englouti avant lui.

Il est trop faible pour repartir. Trop faible pour ne pas pleurer en regardant les livres qui s'entassent ici, les chambres avec leurs jouets. Les couettes des enfants encore repliées sur leurs lits.

Les toiles d'araignées sur les Playmobil gisant sur la moquette.

Soudain, il se souvient des truites. Il redescend jusqu'à la fontaine. Elles sont là.

Il les tue et les mange crues, sans faire de feu.

Il se perd ensuite dans le cours de la Laure qui suit les Pelouses.

Au-delà s'ouvre la route de Morinte. Son instinct lui fait bifurquer à gauche, en montant.

…

Quand il reprend ses esprits, il est dans les algues de sous-bois d'où est sorti Chocolat.

L'idée que le mouton puisse s'y trouver caché le déchire d'espoir.

Il l'appelle en marchant, des heures. Il se perd.

Chocolat !

Il a tout perdu cette nuit-là.

Il marche dans les sentiers, le visage fouetté par les branches, les chaussures engluées de boue. Quand il retrouve un chemin qui monte, la clairière en haut, inconnue, est dominée par un haut pylône de THT.

Il le voyait de loin, ce pylône immense, comme un insecte géant à califourchon au milieu d'un champ de graminées.

Les fils électriques, des câbles gros comme le bras, même sans électricité ces fils vont tenir encore longtemps.

Ils étaient si forts, les hommes.

…

La soif rend tout difficile, mais une pensée lui vient à travers son trouble, celle de sortir du domaine par ces fils électriques.

Ils doivent bien mener quelque part, quelque part où il y a d'autres chats. D'autres moutons.

Que cherche-t-il, déjà ?

…

Plus tard il croise une route goudronnée couverte de mousse et de terre. Plusieurs maisons, là-bas, jamais visitées. Encore un lieu-dit, un panneau d'entrée : LA FALLATOIRE.

Les chênes laissent la place à des pâturages sans bêtes. Où sont les animaux ? N'y a-t-il plus que lui et des rapaces dans toute la Zone ?

Au bord des maisons, un ruisseau s'écoule. Il plonge la tête dedans.

Il avait si soif.

La Fallatoire est un hameau minuscule et empierré. Ici comme ailleurs, la végétation a tout recouvert, les toiles d'araignées les portes, la poussière les étagères. Il déniche une boîte de lentilles et du vin.

Il mange les lentilles froides, il vomit le vin.

Il s'endort d'un coup sur le parvis d'un garage laissé ouvert.

…

La grande éponge de la nuit le prend. Les étoiles le regardent s'éteindre. Il a des tremblements, de froid, de folie.

…

Soudain, il croit entendre un homme parler à un autre.

Il se lève et crie :

« Y'a quelqu'un ? »

« Oh ! Eh ! »

Il marche vers la voix. Mais ce n'est que l'eau du ruisseau qui, dans sa course, lie des sonorités au hasard, jusqu'à créer l'illusion d'une conversation humaine. Son oreille ne s'est pas déshabituée.

Il marche dans la nuit. Son cœur bat si fort, il est horriblement déçu.

En faisant quelques pas, il voit à la lune levée tout l'océan végétal. Aucune lumière. Que les étoiles pour impressionner sa rétine.

Les étoiles palpitent. Il est seul sous elles. Le seul corps humain à des centaines de kilomètres à la ronde. À des milliers de kilomètres.

Il faudrait supprimer cette anomalie.

Mais il n'a plus d'arme. Il n'a plus d'oreiller où la cacher. Il n'a plus de haine.

…

Il a dormi.

Il fouille les maisons de La Fallatoire pour son petit-déjeuner.

Ni chat ni mouton ne lui réclament à manger.

Il a faim tout seul.

Il cherche une route et se perd, il recommence.

Et, régulièrement, comme sans y penser, et sans raison apparente, il crie :

« Oh ! Eh ! »

Il a mal quand il parle. Sa barbe contient des larmes.

…

Il devrait pourtant s'y résoudre, à cette solitude perpétuelle, tant les hommes ont été cruels envers lui ; et s'ils ont été nombreux, combien peu lui ont tendu la main. Mais maintenant, maintenant qu'il a tout perdu, qu'il n'est plus rien qu'un homme à la main brûlée… Que ce monde lointain, que ce monde décevant, que ce monde plein d'enfants fragiles et d'êtres humains formidables, que ce monde lui manque.

…

Il entre dans un autre hameau que les gens, avec peine, avec amour, avaient remonté pierre sur pierre, et qui pierre sur pierre s'écroule.

Comme ils étaient forts, les hommes, comme ils étaient prévenants.

Ils ont laissé des boîtes de conserve dans leurs placards. Un pot de Nesquik qu'il lèche à même les doigts.

Ils ont laissé de petits panneaux qui donnent des informations, telle croix, tel panorama, le nom de l'église, là-bas. Ils entretenaient tout cela.

Ils ont planté des rosiers. Ils ont maçonné de petites marches pour aller à des portes dont la peinture s'écaille.

Ils ont pyrogravé joliment leur nom pour le facteur.

Ils ont orienté ce banc à l'ombre pour y discuter.

…

Y a-t-il encore des hommes quelque part ?

…

Il est près d'un ruisseau.

Il a mangé. Il tremble. Ses yeux fixes sont mouillés.

Il voudrait se laver dans le ruisseau.

Mais il trébuche dans l'eau froide.

Une mésange vient se poser près de lui. Il remarque ses pattes noueuses terminées par des griffes. Ces mains-là sont puissantes.

Lui est faible.

…

Il marche en suivant les fils de la THT, qui se sont scindés en des fils plus petits.

Il titube.

Le froid arrive, le poursuit. Il cherche les fils vers les hommes, les lumières que donnerait une ville.

Il dort le soir dans des maisons.

Quand il veut uriner, il le fait sur le côté, puis retourne à son sommeil.

Au matin, personne n'est là pour le déloger en l'insultant. Personne pour le traiter de cambrioleur, marginal, voleur, pour lui dire Dégage.

Personne pour nettoyer derrière lui, seules les araignées retissant leurs toiles.

Personne n'établit plus de différence entre le dedans et le dehors, entre la semaine et les dimanches, entre le jour et la nuit.

Aucune aide, aucune voix.

Il marche encore.

…

Il est si fatigué.

Un rescapé, un seul, c'est inutile.

…

Ce silence…

Il a peur.

La nuit, aucune lumière, jamais.

La peur autour de lui entièrement.

« Oh ! Eh ! »

…

Et soudain, là-haut, dans le ciel, il voit : une trace blanche, un avion !

En une seconde, tout son corps se tend. Se tend vers cet avion, comme poussé par une force sortie du haut du cœur et qui veut atteindre, toucher, pénétrer dans cet avion, voir la casquette du pilote, le visage des hôtesses, ces étroites rangées de sièges, et être un peu gêné par la promiscuité avec les autres. Joseph a déjà pris, il s'en souvient, ce genre d'avion avec des gens de son espèce.

Est-ce réel ?

Du soleil sur la carlingue.

Oui, il ne rêve pas, c'est un avion de ligne, comme avant.

L'avion vole et disparaît, mais dans le ciel il a laissé une longue flèche à travers son corps, la longue flèche qui mène vers nous.

COMPOSITION ET MISE EN PAGES
NORD COMPO À VILLENEUVE-D'ASCQ

CET OUVRAGE A ÉTÉ ACHEVÉ D'IMPRIMER
SUR ROTO-PAGE
PAR L'IMPRIMERIE FLOCH
À MAYENNE EN MAI 2018